KB094082

#중학기본영문법
#내가바로문법강자

바로 문장
쓰는 문법

바로 시리즈 검토에 도움을 주신 분들

홍정환 선생님(영어의 힘)
박용철 선생님(PK대치스마트에듀)
원영아 선생님(멘토영어)
원지윤 선생님(아잉카영어)
이성형 선생님(해윰학원)
김란숙 선생님(샘앤아이영어)
이차은 선생님(BOB영어)

박주경 선생님(PK대치스마트에듀)
주은숙 선생님(원클래스 학원)
김도희 선생님(원클래스 학원)
Kyle 선생님(한스터디)
윤지원 선생님(고려학원)
김현욱 선생님(동광학원)
이형언 선생님(훈성학원)

박은영 선생님(PK대치스마트에듀)
김지혜 선생님(Epic English)
박지혜 선생님(다이나믹 학원)
이민정 선생님(BMA 어학원)
채효석 선생님(빅터 아카데미)

원어민 검토

Stephanie Berry, Matthew D. Gunderman

Chunjae
Makes
Chunjae

[바로 문장 쓰는 문법] LEVEL 1

기획총괄	남보라
편집개발	김미혜, 신현겸
디자인총괄	김희정
표지디자인	윤순미, 안채리
내지디자인	디자인뮤제오
제작	황성진, 조규영

발행일	2022년 5월 15일 2판 2023년 10월 1일 2쇄
발행인	(주)천재교육
주소	서울시 금천구 가산로9길 54
신고번호	제2001-000018호
고객센터	1577-0902
교재 구입 문의	1522-5566

※ 이 책은 저작권법에 보호받는 저작물이므로 무단복제, 전송은 법으로 금지되어 있습니다.

※ 정답 분실 시에는 천재교육 교재 홈페이지에서 내려받으세요.

쓰기가 쉬워지는 중학 기본 영문법

바로 문장 쓰는 문법

LEVEL 1

CONTENTS

중학교 교과서 문법 연계표　1학년

단원	천재(이재영)	천재(정사열)	동아(윤정미)	동아(이병민)	미래엔(최연희)	능률(김성곤)	비상(김진완)	YBM(박준언)
1	• be동사 [1/3/4]	• 일반동사 [5/6] • 조동사 will [10/13]	• be동사 [1/3/4] • 일반동사 [5/6]	• be동사 [1/3/4] • 일반동사 [5/6]	• be동사 [1/3/4] • 일반동사 [5/6]	• be동사 [1/3/4] • 일반동사 [5/6]	• be동사 [1/3/4] • 일반동사 [5/6]	• be동사 [1/3/4]
2	• 일반동사 [5/6]	• 현재진행형 [11/12] • to부정사 명사적 용법 [20/22]	• 일반동사 의문문 [4/6] • 현재진행형 [11/12]	• 현재진행형 [11/12] • 명령문 [31] • 감탄문 [32]	• 현재진행형 [11/12] • 조동사 can [13]	• 현재진행형 [11/12] • 조동사 can [13] • 조동사 will [10/13]	• 명령문 [31] • 현재진행형 [11/12]	• 일반동사 [5/6] Special 1 • 현재진행형 [11/12] • 명령문 [31]
3	• 현재진행형 [11/12] • 조동사 will [10/13]	• 과거 시제 [7-9] • 부가 의문문 [33]	• 명령문 [31] • 조동사 can [13] • 조동사 will [10/13]	• 조동사 can [13] • 의문문 [6/27-29]	• 동명사 [19/22] • 감각동사+형용사 [36] • There+be동사 [35]	• 과거 시제 [2/7/9] • 동명사 [19/22]	• 과거 시제 [2/7/9] • 감각동사+형용사 [36]	• 과거 시제 [2/7/9] • 감각동사+형용사 [36]
4	• There+be동사 [35] • 조동사 can [13]	• 수여동사 [37] • to부정사 부사적 용법 [21]	• 과거 시제 [2/7/9] • There+be동사 [35]	• 과거 시제 [2/7/9] • 재귀대명사 [16]	• 과거 시제 [2/7/9] • 조동사 will [10/13]	• 수여동사 [37] • to부정사 명사적 용법 [20]	• 조동사 will [10/13] • 수여동사 [37]	• 조동사 will [10/13] • 조동사 can [13]
5	• 과거 시제 [2/7/8/9] • 동명사 [19/22]	• 재귀대명사 [16] • 원급 비교 [40]	• 동명사 [19/22] • 비인칭 주어 it [17]	• 조동사 will [10/13] • 수량 형용사 [24]	• be going to [10/13] • to부정사 명사적 용법 [20]	• 비교급 [39/41] • 접속사 that [44]	• 비교급 [39/41] • 최상급 [39/42]	• to부정사 명사적 용법 [20] • 감탄문 [32]
6	• to부정사 명사적 용법 [20] • 조동사 should [14]	• 조동사 must [14] • 동명사 [19/22]	• to부정사 명사적 용법 [20] • 감각동사+형용사 [36]	• to부정사 명사적 용법 [19/20/22] • 접속사 when [45]	• 접속사 that [44] • to부정사 부사적 용법 [21] • 수여동사 [37]	• to부정사 부사적 용법 [21] • 접속사 when [45]	• to부정사 명사적 용법 [20] • 부가 의문문 [33]	• 동명사 [19/22] • 비교급 [39/41] Special 2 • to부정사 부사적 용법 [21] • 수여동사 [37]
7	• to부정사 부사적 용법 [21] • 접속사 when [45]	• 과거진행형 [11/12] • 최상급 [39/42]	• be going to [10/13] • 비교급 [39/41] • 최상급 [39/42]	• 수여동사 [37] • have to [14]	• have to [14] • 조동사 should [14] • 접속사 when [45]	• 감탄문 [32] • make+목적어+형용사 [38]	• to부정사 부사적 용법 [21] • 접속사 that [44]	• 접속사 because [46] • 부가 의문문 [33]
8	• 수여동사 [37] • 비교급 [39/41]	• 감탄문 [32] • 접속사 when [45]	• 접속사 that [44] • 접속사 when, before, after [45]	• 동명사 [19/22] • 비교급 [39/41]	• 비교급 [39/41] • 최상급 [39/42]		• 동명사 [19/22] • 접속사 when [45]	• 접속사 when [45] • make+목적어+형용사 [38]
9								

YBM(송미정)	지학사(민찬규)	능률(양현권)	금성(최인철)	다락원(강용순)
• be동사 [1/3/4] • 일반동사 [5]	• 일반동사 [5/6] • 과거 시제 [2/7/9] • 조동사 will [10/13]	• 동명사 [19/22] • 동격 [16]	• 일반동사 [5/6]	• be동사 [1/3/4] • 재귀대명사 [16] • 동명사 [19/22]
• 일반동사 [5/6]	• 현재진행형 [11/12] • to부정사 명사적 용법 [20]	• be going to [10/13] • to부정사 명사적 용법 [20]	• 현재진행형 [11/12] • 조동사 will [10/13] • 조동사 should [14]	• 일반동사 [5/6] • 타동사+목적어+부사구 [37] • 감탄문 [32]
• There+be동사 [35] • 조동사 can [13]	• to부정사 형용사적 용법 [21] • 동명사 [19/22]	• 접속사 that [44] • 조동사 must [14]	• 과거 시제 [2/7/9] • 감탄문 [32]	• 과거 시제 [2/7/9] • There+be동사 [35] • to부정사 명사적 용법 [20/22]
• 과거 시제 [2/7/9] • 조동사 will [10/13]	• 접속사 when [45] • 조동사 should [14] • 감탄문 [32]	• to부정사 부사적 용법 [21] • 감탄문 [32]	• 감각동사+형용사 [36] • 접속사 when [45]	• 명령문 [31] • to부정사 부사적 용법 [21] • 부가 의문문 [33]
• 현재진행형 [11/12] • 감각동사+형용사 [36]	• to부정사 부사적 용법 [21] • 부가 의문문 [33]	• 접속사 and [43] • 접속사 when [45]	• to부정사 명사적 용법 [20/22] • 빈도부사 [26]	• 수여동사 [37] • 접속사 that [44] • 접속사 when [45]
• 명령문 [31] • 접속사 when [45]	• 비교급 [39/41] • 최상급 [39/42]	• 부사 too [25] • 수여동사 [37]	• 접속사 that [44] • to부정사 부사적 용법 [21]	• 과거진행형 [11/12] • 수동태 • any [24]
• to부정사 명사적 용법 [20] • 동명사 [19]	• 접속사 that [44] • 수여동사 [37]	• 과거진행형 [11/12] • 부가 의문문 [33]	• 수여동사 [37] • make+목적어+형용사 [38]	• 조동사 should [14] • 부사 [25] • 화법
• 비교급 [39/41] • 접속사 because [46]		• 최상급 [39/42] • 부정 대명사 one [18]	• 동명사 [19/22] • 최상급 [39/42]	• to부정사 형용사적 용법 [21] • 접속사 if [46] • 접속부사 however
• 수여동사 [37] • 감탄문 [32]				

바로 쓰는 문법 LEVEL 1 목차

바로 쓰는 문법 공부 계획표

실력을 키우는 계획표 세우기

1 Level 1은 총 48강입니다. 하루에 몇 강씩, 일주일에 몇 번 공부할지 생각해 보세요.
2 공부한 날을 쓰고, 내가 성취한 항목에 체크(✓)하세요.
3 체크(✓)하지 않은 항목은 복습할 때 꼭 확인해서 빈칸이 없도록 하세요.

단원	목차	공부한 날 월 / 일	복습한 날 월 / 일	나의 성취도 체크 ✓				
				개념이해	문제풀이	오답점검	누적복습	단원평가
UNIT 1 be동사	01 be동사 현재형							
	02 be동사 과거형							
	03 be동사 부정문							
	04 be동사 의문문							
UNIT 2 일반동사	05 일반동사 현재형							
	06 일반동사 현재형_부정문, 의문문							
	07 일반동사 과거형							
	08 일반동사 과거형_부정문, 의문문							
UNIT 3 시제	09 현재 시제, 과거 시제							
	10 미래 시제							
	11 진행 시제 1							
	12 진행 시제 2							
UNIT 4 조동사	13 can / may / will							
	14 must / have to / should							
UNIT 5 명사와 대명사	15 명사							
	16 인칭대명사							
	17 비인칭 주어 it							
	18 부정 대명사 one							
UNIT 6 to부정사와 동명사	19 to부정사와 동명사							
	20 to부정사의 명사적 용법							
	21 to부정사의 형용사적 / 부사적 용법							
	22 to부정사와 동명사를 목적어로 쓰는 동사							

단원	목차	공부한 날	복습한 날	나의 성취도 체크 ✓				
		월 / 일	월 / 일	개념이해	문제풀이	오답점검	누적복습	단원평가
UNIT 7 형용사와 부사	23 형용사의 쓰임과 형태							
	24 수량 형용사							
	25 부사의 쓰임과 형태							
	26 빈도부사							
UNIT 8 의문사	27 who, what, which							
	28 when, where							
	29 why, how							
	30 How+형용사[부사] ~?							
UNIT 9 문장의 종류	31 명령문 / Let's 청유문							
	32 감탄문							
	33 부가 의문문							
	34 부정 의문문							
UNIT 10 문장의 형식	35 1형식과 「There+be동사」							
	36 2형식							
	37 3형식과 4형식							
	38 5형식							
UNIT 11 비교 구문	39 비교급과 최상급 만드는 법							
	40 원급 비교							
	41 비교급 비교							
	42 최상급 비교							
UNIT 12 접속사와 전치사	43 등위접속사 and, but, or							
	44 종속접속사 that							
	45 종속접속사 when, before, after							
	46 종속접속사 because, if							
	47 시간을 나타내는 전치사							
	48 위치를 나타내는 전치사							

BACKGROUND KNOWLEDGE

01 문장의 기본 구성 요소

문장은 단어들이 일정한 순서로 모여 의미를 전달하는 것이다. 문장을 이루는 기본 구성 요소에는 뼈대가 되는 주어, 동사, 목적어, 보어와 살을 붙이는 수식어가 있다.

These books are interesting.
주어　　　동사　　보어

My uncle teaches Korean in America.
주어　　　동사　　목적어　　수식어

주어 Subject	동사가 나타내는 동작이나 상태의 주체가 되는 말로, 주로 문장 맨 앞에 쓴다.

I am a middle school student. 나는 중학생이다.

My parents love me. 나의 부모님께서는 나를 사랑하신다.

동사 Verb	주어의 상태나 주어가 하는 동작을 나타내는 말로, 주로 주어 뒤에 쓴다.

Julia and I are good friends. Julia와 나는 좋은 친구이다. 〈상태〉

I walk to school with my friend. 나는 친구와 학교에 걸어간다. 〈동작〉

목적어 Object	동사가 나타내는 행위의 대상이 되는 말로, 주로 동사 뒤에 쓴다.

My grandfather wears glasses. 나의 할아버지께서는 안경을 쓰신다.

Mark bought his sister a guitar. Mark는 그의 누나에게 기타를 사 주었다.
　　　　　　간접목적어　　　직접목적어

보어 Complement	주어나 목적어를 보충해서 설명하는 말로, 주로 동사나 목적어 뒤에 쓴다.

He is my uncle. 그는 나의 삼촌이다. 〈주어 He를 보충 설명: 주격 보어〉

The sofa looks comfortable. 그 소파는 편하게 보인다. 〈주어 The sofa를 보충 설명: 주격 보어〉

Her voice makes me sleepy. 그녀의 목소리는 나를 졸리게 한다. 〈목적어 me를 보충 설명: 목적격 보어〉

수식어 Modifier	문장의 요소를 꾸며 그 의미를 더 자세하고 풍부하게 해 주는 말로 주어, 동사, 목적어, 보어를 수식한다.

The book on the desk is mine. 책상 위에 있는 책은 내 것이다. 〈주어 수식〉

They talked loudly. 그들은 큰 소리로 말했다. 〈동사 수식〉

바로 개념 확인 1	상자 안에 제시된 부분이 어떤 문장 구성 요소인지 쓰시오.	Answers p. 1

01

Julia	plays	soccer	very well
			수식어

02

The boy	in the white shirt	is	my cousin
	수식어		

02 8품사

단어를 성격이 비슷한 것끼리 분류한 것으로, 영어에는 8개의 품사가 있다.

Ah, that looks wonderful.
감탄사 대명사 동사   형용사

The small and lovely parrot in the cage is very noisy.
관사   형용사   접속사   형용사   명사   전치사 관사   명사   동사   부사   형용사

동사 Verb

사람이나 사물, 동물 등의 상태(~이다) 또는 동작(~하다)을 나타내는 말

walk

→ **be동사**

'~이다, ~에 있다'의 의미로 주어의 신분이나 상태를 나타내는 동사
현재형: am, are, is   과거형: was, were

→ **조동사 (助^{도울} 動^조詞)**

be동사나 일반동사 앞에서 의미를 더하는 동사
can(~할 수 있다), may(~일지도 모른다), will(~할 것이다), must(~해야 한다) 등

→ **일반동사**

be동사와 조동사를 제외한 나머지 동사
walk(걷다), speak(말하다), write(쓰다) 등

명사 Noun

사람, 사물, 개념 등의 이름을 나타내는 말로 문장에서 주어, 목적어, 보어로 쓰임

dog

→ **셀 수 있는 명사**

★보통명사: 일정한 모양이 있어서 하나만 있어도 무엇인지 쉽게 알 수 있는 것
dog, bus, book, ring 등
★집합명사: 여럿이 모여야 무엇인지 알 수 있는 것
family, class, team 등

→ **셀 수 없는 명사**

★고유명사: 세상에 딱 하나뿐인 것(첫 글자는 항상 대문자)
Korea, the Eiffel Tower, 사람 이름 등
★ 물질명사: 일정한 형태가 없는 air, water, sugar 등
★ 추상명사: 눈으로 볼 수 없는 love, peace, beauty 등

→ **명사 짝꿍 [관사 Article]**

셀 수 있는 명사 앞에 쓰는 a, an
서로 알고 있는 것을 가리킬 때 쓰는 the

대명사 Pronoun

명사의 반복을 피하기 위해 명사 대신 쓰는 말로 명사처럼 주어, 목적어, 보어로 쓰임

| 지시 대명사 | 가까이 있는 것을 가리킬 때: this / these
멀리 있는 것을 가리킬 때: that / those |

인칭대명사

사람이나 사물을 대신해서 가리키는 말
Julia is my best friend. She is nice.
Look at the dog. It is cute.

부정(不定정할 정) 대명사

불특정한 사람·사물이나 일정하지 않은 수량을 나타내는 말
one, other, some, any 등

형용사 Adjective

사람·사물의 상태나 모양, 성질, 수량 등을 설명하는 말로 명사를 꾸밈

성질, 상태, 종류 등을 나타내는 형용사

She is happy. (주어의 상태를 설명)
Mia is a kind girl. (명사의 성질을 설명)

수량 형용사

I have many friends. (많은 친구)
 └ 셀 수 있는 명사
We don't have much time. (많은 시간)
 └ 셀 수 없는 명사

부사 Adverb

시간, 장소, 방법, 정도, 빈도 등을 나타내는 말로 동사, 형용사, 다른 부사, 또는 문장 전체를 꾸밈

often

It is very expensive. (매우 비싼: 형용사 expensive 꾸밈)

They live happily. (행복하게 산다: 동사 live 꾸밈)

You got up too late. (너무 늦게: 부사 late 꾸밈)

Fortunately, I passed the test. (다행스럽게도: 문장 전체 꾸밈)

전치사 Preposition	⋯⋯⋯	The store opens <u>at</u> 10 <u>on</u> Sundays. (시간)
명사나 대명사 앞에 쓰여 시간, 장소, 방향, 이유, 수단 등을 나타내는 말	⋯⋯⋯	Mom is <u>in</u> the living room. (장소)
	⋯⋯⋯	We ran <u>to</u> the park. (방향)

on

⋯⋯⋯ I go to school <u>by</u> bus. (수단)

접속사 Conjunction	⋯⋯⋯	등위접속사 and, but, or	문법적으로 대등한 것을 연결 *I'm Jenny* and *I'm from Canada.* Do you like *dogs* or *cats*?
'그러나', '그리고'처럼 두 말 (단어와 단어, 구와 구, 문장과 문장)을 이어주는 말	⋯⋯⋯	종속접속사 that, when, before, because 등	대장 역할을 하는 문장에 속해 있는 문장을 연결 I think <u>that</u> you are right. He stays at home <u>when</u> it rains. (= <u>When</u> it rains, he stays at home.)

and

감탄사 Interjection	⋯⋯⋯	ah, oops, oh, ouch, hooray, hey, wow 등	Ouch! It hurts. (아픔) Hooray! We won the game. (기쁨) Wow! What a beautiful day! (놀람)
놀람, 기쁨, 슬픔 등의 감정을 나타내며 저절로 나오는 말			

Wow!

바로 개념 확인 2 상자 안에 주어진 단어의 품사가 무엇인지 쓰시오.   Answers p. 1

Wow!	The	flowers	in	the painting	look	very	real	,	and	I	like them.

03 구와 절

'구(phrase)'는 두 개 이상의 단어가 모여 만들어진 말로, 「주어+동사」를 포함하지 않는다. '절(clause)'은 「주어+동사」를 포함한 여러 단어가 모여 만들어진 말이다. 둘 다 문장에서 명사, 형용사, 부사처럼 쓰인다.

Do you like playing computer games?
　　　　　　　명사구

When I am alone, I listen to music.
　종속절(부사절)　　　주절

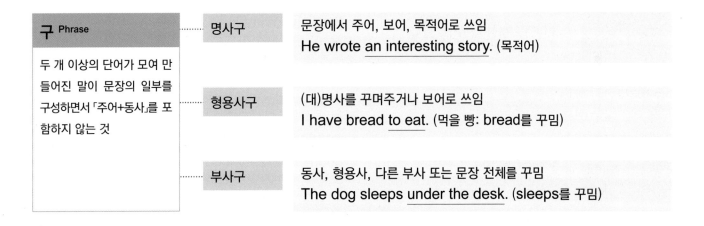

구 Phrase 두 개 이상의 단어가 모여 만들어진 말이 문장의 일부를 구성하면서 「주어+동사」를 포함하지 않는 것	명사구	문장에서 주어, 보어, 목적어로 쓰임 He wrote an interesting story. (목적어)
	형용사구	(대)명사를 꾸며주거나 보어로 쓰임 I have bread to eat. (먹을 빵: bread를 꾸밈)
	부사구	동사, 형용사, 다른 부사 또는 문장 전체를 꾸밈 The dog sleeps under the desk. (sleeps를 꾸밈)

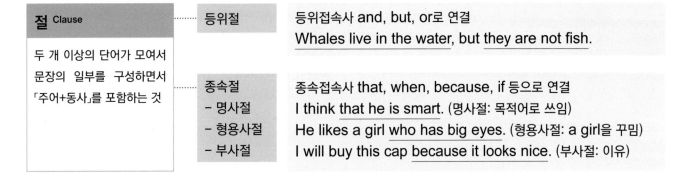

절 Clause 두 개 이상의 단어가 모여서 문장의 일부를 구성하면서 「주어+동사」를 포함하는 것	등위절	등위접속사 and, but, or로 연결 Whales live in the water, but they are not fish.
	종속절 – 명사절 – 형용사절 – 부사절	종속접속사 that, when, because, if 등으로 연결 I think that he is smart. (명사절: 목적어로 쓰임) He likes a girl who has big eyes. (형용사절: a girl을 꾸밈) I will buy this cap because it looks nice. (부사절: 이유)

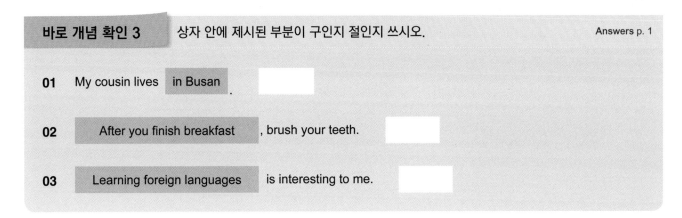

바로 개념 확인 3	상자 안에 제시된 부분이 구인지 절인지 쓰시오.	Answers p. 1

01 My cousin lives in Busan .

02 After you finish breakfast , brush your teeth.

03 Learning foreign languages is interesting to me.

04 문장 쓰기 규칙

영어 알파벳에는 대·소문자가 있어서 규칙에 맞게 써야 하며, 문장의 종류에 따라 알맞은 문장 부호를 써야 한다.

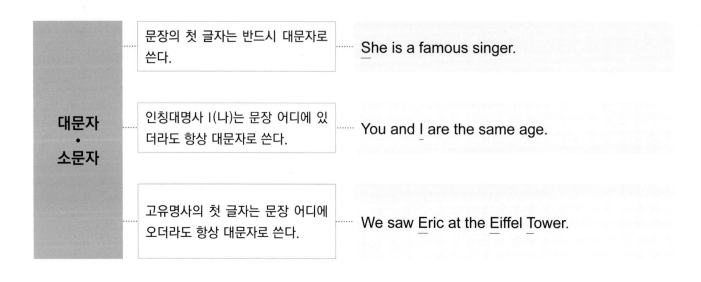

대문자 · 소문자	문장의 첫 글자는 반드시 대문자로 쓴다.	She is a famous singer.
	인칭대명사 I(나)는 문장 어디에 있더라도 항상 대문자로 쓴다.	You and I are the same age.
	고유명사의 첫 글자는 문장 어디에 오더라도 항상 대문자로 쓴다.	We saw Eric at the Eiffel Tower.
문장 부호	평서문의 끝에는 마침표(.)를 쓴다.	I don't like spicy food.
	의문문의 끝에는 물음표(?)를 쓴다.	Are you good at English?
	감탄문의 끝에는 느낌표(!)를 쓴다.	How interesting!

바로 개념 확인 4 대·소문자와 문장 부호를 바르게 고쳐 문장을 다시 쓰시오.   Answers p. 1

01   hello, i am kate and i am from canada?

02   wow. is the rumor true!

UNIT 01

be동사

핵심 개념 바로 확인   I know! ☺   No idea! ☹

- 인칭대명사는 사람이나 사물의 이름 대신 쓰는 말이다.   ☺   ☹
- 동사는 사람·사물의 동작이나 상태를 나타내는 말이다.   ☺   ☹

개념 01 be동사 현재형

I **am** a good person.
〈be동사+명사〉

→ Kate
Kate **is** a model. She **is** famous.
〈be동사+명사〉 〈be동사+형용사〉

→ Heroes
Heroes **are** everywhere. They **are** brave.
〈be동사+장소의 부사〉

We **are** in the library.
〈be동사+장소의 부사구〉

	인칭대명사		be동사 현재형	줄임말
단수	1인칭	I 나	am	I'm
	2인칭	you 너	are	you're
	3인칭	he 그	is	he's
		she 그녀		she's
		it 그것		it's
복수	1인칭	we 우리	are	we're
	2인칭	you 너희		you're
	3인칭	they 그들		they're

바로 개념

1 be동사는 주어의 신분이나 상태 등을 나타내는 말이다. 현재형은 주어의 인칭과 수에 따라 am, are, is를 쓴다.
2 be동사 뒤에는 명사, 형용사, 장소의 부사(구)를 쓸 수 있고, 각각 '~이다', '~(하)다', '(~에) 있다'의 의미이다.
3 「인칭대명사 주어＋be동사 현재형」은 줄여 쓸 수 있고, 이때 be동사의 첫 철자를 apostrophe(')로 바꿔 쓴다.
4 「This [That] is＋이름/직업/신분」은 '이[저] 사람은 ~이다'라는 뜻이고, This is는 This's로 줄여 쓰지 않는다.

✓ 고르며 개념 확인

Answers p. 1

01 I ○ am ○ is a police officer.

02 Julia ○ is ○ are a chef.

*03 You and I ○ am ○ are late for school.

04 They ○ is ○ are best friends.

05 The building ○ am ○ is beautiful.

06 Jiho and Lisa ○ are ○ is in the classroom.

07 ○ This's ○ This is Dave. He ○ am ○ is my cousin.

★ and가 있는 복수 주어에 주의
I가 있으면 → we를 의미
you가 있으면 → you를 의미
나머지 경우 → they를 의미

✎ 쓰며 개념 정리

				줄임말 쓰기

08 그들은 나이가 같다. [　　　] the same age. [　　　]

09 그녀는 수학 선생님이다. [　　　] a math teacher. [　　　]

10 우리는 학교 식당에 있다. [　　　] at the school cafeteria. [　　　]

11 나는 매우 피곤하다. [　　　] very tired. [　　　]

12 그것은 공포 영화이다. [　　　] a horror movie. [　　　]

I **was** an elementary school student <u>last year</u>.

He **was** very busy <u>yesterday</u>.

My parents **were** at home <u>then</u>.

Paul and Emma **were** angry with me.

인칭대명사			be동사 현재형	be동사 과거형
단수	1인칭	I	am	was
	2인칭	you	are	were
	3인칭	he she it	is	was
복수	1인칭	we		
	2인칭	you	are	were
	3인칭	they		

바로 개념

1 be동사 현재형 am, is의 과거형은 was이고, are의 과거형은 were이다.
2 be동사 과거형은 주로 과거를 나타내는 부사(구)인 yesterday(어제), then(그때), ago(~ 전에), last(지난 ~), at that time (그때) 등과 함께 쓰인다.
3 「인칭대명사 주어 + be동사 과거형」은 줄여 쓰지 않는다.

 고르며 개념 확인

Answers p. 1

01 I ○ am   ○ was   thirteen years old last year.

02 It ○ was   ○ were   my birthday yesterday.

03 We ○ were   ○ are   young four years ago.

04 You ○ was   ○ were   lucky then.

05 They ○ are   ○ were   at the gym now.

06 Henry ○ is   ○ was   in China the day before yesterday.

07 My sister and I ○ was   ○ were   hungry at that time.

쓰며 개념 정리

08 그녀는 작년에 내 담임선생님이셨다.   [   ] my homeroom teacher last year.

09 그때 우리는 휴가 중이었다.   At that time, [   ] on vacation.

10 나는 오늘 아침에 너무 졸렸다.   [   ] very sleepy this morning.

11 그들은 한 시간 전에 시청에 있었다.   [   ] at City Hall an hour ago.

12 너는 지난 경기에서 굉장했다.   [   ] great in the last match.

개념 01 be동사 현재형

1 be동사는 주어의 신분이나 상태를 나타내는 말이다. 현재형은 [   ]의 인칭과 수에 따라 am, are, is를 쓴다.

2 be동사 뒤에는 명사, 형용사, 장소의 부사(구)를 쓸 수 있고, 각각 '[   ]', '~(하)다', '(~에) 있다'의 의미이다.

3 「인칭대명사 주어+be동사 현재형」은 줄여 쓸 수 있고, 이때 be동사의 첫 철자를 apostrophe(')로 바꿔 쓴다.

4 「This [That] is+이름/직업/신분」은 '이[저] 사람은 ~이다'라는 뜻이고, [   ]는 This's로 줄여 쓰지 않는다.

인칭대명사			be동사 현재형	줄임말
단수	1인칭	I 나		
	2인칭	you 너		
	3인칭	he 그 she 그녀 it 그것		
복수	1인칭	we 우리		
	2인칭	you 너희		
	3인칭	they 그들		

개념 02 be동사 과거형

1 be동사 현재형 am, is의 과거형은 [   ]이고, are의 과거형은 [   ]이다.

2 be동사 과거형은 주로 과거를 나타내는 부사(구)인 yesterday(어제), then(그때), [   ](~ 전에), last(지난 ~), at that time(그때) 등과 함께 쓰인다.

3 「인칭대명사 주어+be동사 과거형」은 줄여 쓰지 않는다.

인칭대명사			be동사 현재형	be동사 과거형
단수	1인칭	I	am	
	2인칭	you	are	
	3인칭	he / she / it	is	
복수	1인칭	we		
	2인칭	you	are	
	3인칭	they		

A 다음 문장에서 밑줄 친 부분을 바르게 고치시오.

01 We <u>am</u> in the kitchen now.

02 They <u>was</u> baseball players five years ago.

03 Brian and I <u>am</u> always good neighbors.

04 Kevin <u>is</u> little at that time, but his dream was big.

05 My favorite idol group <u>was</u> on TV right now.

06 I <u>were</u> very sick yesterday morning.

07 The amusement park <u>is</u> closed last month.

08 <u>This's</u> Ms. Brown. She is my English teacher.

B 다음 우리말과 같도록 괄호 안의 표현을 이용하여 문장을 완성하시오.

01 지구는 아름다운 행성이다. (the Earth)

➡ [   ] a beautiful planet.

02 그녀는 런던으로 향하는 기차에 있었다. (on a train)

➡ [   ] to London.

03 모두가 그 소식에 흥분했다. (everyone, excited)

➡ [   ] about the news.

04 나는 자동차에 관심이 있다. (interested)

➡ [   ] in cars.

05 우리는 그때 아주 어렸다. (very young)

➡ [   ] at that time.

06 나의 언니와 나는 큰 개를 무서워한다. (and, afraid)

➡ [   ] of big dogs.

07 나의 가족은 나에게 중요하다. (important)

➡ [   ] to me.

📖 **비교하며 문장 쓰기**

표현
노트

001

나는 K팝 열성팬이다. — I am a big fan of K-pop.

그는 K팝 열성팬이다. — He is a big fan of K-pop.

a big fan
of K-pop

002

그녀는 14살이다.

우리는 14살이다.

fourteen
years old

003

너는 힘이 세다.

나는 힘이 세다.

strong

004

그것은 맛있었다.

그것들은 맛있었다.

delicious

005

나는 축구 동아리에 있다.

나는 축구 동아리였다.

in the football
club

006

그는 나의 반 친구이다.

그들은 나의 반 친구들이다.

★ 명사의 복수형 주의

my classmate

007

그녀는 집에 가는 길이다.

그녀는 집에 가는 길이었다.

on her way
home

008

너는 중학생이다.

너는 초등학생이었다.

★ 관사 a, an에 주의

middle /
elementary

📖 배열하여 문장 쓰기

009 너는 특별하다. (you, special, are)

You are special.

010 어제는 나에게 끔찍한 날이었다. (terrible, was, for me, a, day, yesterday)

011 나는 지난 토요일에 거기에 있었다. (there, I, last, was, Saturday)

012 도서관은 9시에서 5시까지 열려 있다. (is, from, to, the library, open, 9, 5)

★ from A to B: A부터 B까지

013 나는 미술부 회원이다. (the art club, I, a, of, member, am)

014 학교에서 내가 가장 좋아하는 시간은 점심시간이다. (at school, lunch time, favorite, is, my, time)

015 그는 프랑스 출신이다. (France, he, from, is)

[Self-Editing Checklist] ✅ 대·소문자를 바르게 썼나요? Y N ✅ 철자와 문장 부호를 바르게 썼나요? Y N

I am not afraid of change.

Kevin is not an actor.

You are not alone.

It was not your fault.

They were not at home yesterday.

주어		be동사 + not	「주어 + be동사 + not」 줄임말	
I	현재형	am not	×	I'm not
	과거형	was not	I wasn't	×
he she it	현재형	is not	he / she / it isn't	he's / she's / it's not
	과거형	was not	he / she / it wasn't	×
we you they	현재형	are not	we / you / they aren't	we're / you're / they're not
	과거형	were not	we / you / they weren't	×

바로 개념

1 be동사 부정문의 형태는 「주어 + be동사 + not」이고, '~이 아니다', '(~에) 없다'는 뜻이다.
2 is not은 isn't로, are not은 aren't로 줄여 쓸 수 있지만 am not은 amn't로 줄여 쓸 수 없다.
3 was not은 wasn't로, were not은 weren't로 줄여 쓸 수 있다.

✅ **고르며 개념 확인**

Answers p. 2

01 He ○ is not ○ are not my brother.

02 I ○ amn't ○ am not good at computer games.

03 Julia ○ isn't ○ wasn't pretty a year ago.

04 The books ○ wasn't ○ weren't on the table.

05 Today ○ isn't ○ is Friday. It's Thursday.

06 Mark and Emma ○ are ○ aren't shy. They are confident.

✏️ **쓰며 개념 정리**

줄임말 쓰기

07 나는 아침형인간이 아니다. _____ a morning person. _____

08 그 영화는 무섭지 않았다. The movie _____ scary. _____

09 그는 지금 목마르지 않다. _____ thirsty now. _____

10 그들은 어제 여기 없었다. _____ here yesterday. _____

11 이 쿠키들은 달지 않다. These cookies _____ sweet. _____

12 나는 너에게 화난 것이 아니었다. _____ upset with you. _____

개념 04 be동사 의문문

Am I **right**? — Yes, you are.

Are you **American**? — No, I'm not.

Was it **rainy yesterday**? — Yes, it was.

Were you and Andy **in China last year**?
　　　　and로 연결되는 주어에 you가 있으면 you(너희)를 의미
— No, we weren't.

주어		의문문_현재형	긍정의 답	부정의 답
1인칭	단수	Am I ~?	Yes, you are.	No, you aren't.
	복수	Are we ~?	Yes, you [we] are.	No, you [we] aren't.
2인칭	단수	Are you ~?	Yes, I am.	No, I'm not.
	복수		Yes, we are.	No, we aren't.
3인칭	단수	Is he / she / it ~?	Yes, he / she / it is.	No, he / she / it isn't.
	복수	Are they ~?	Yes, they are.	No, they aren't.

바로 개념

1 be동사 의문문의 형태는 「be동사 + 주어 ~ ?」이고, '~입니까?', '(~에) 있습니까?'라는 뜻이다.

2 긍정이면 「Yes, 주어 + be동사.」로, 부정이면 「No, 주어 + be동사 + not.」으로 답한다. 답할 때 주어는 인칭대명사를 쓴다.

3 과거형의 의문문은 「Was [Were] + 주어 ~?」이고, 「Yes, 주어 + was [were].」 또는 「No, 주어 + wasn't [weren't].」로 답한다.

4 의문문의 주어가 we일 때는 상황에 따라 you(화자들이 아닌 제 3자) 또는 we(화자들 중 한 명)로 답한다.

 고르며 개념 확인

Answers p. 2

01 Is his science class interesting? — No, ○ it ○ he isn't.

02 ○ Is ○ Are your sister a teacher? — Yes, she ○ is ○ isn't .

03 Was Lisa at home ○ yesterday ○ now ? — No, ○ Lisa ○ she wasn't.

04 ○ Am ○ Is I late for the meeting? — No, ○ you aren't ○ we're not .

05 ○ Were ○ Are you in the first grade now? — Yes, ○ I am ○ I was .

06 ○ Were ○ Was those boxes heavy? — Yes, ○ they were ○ it was .

07 ○ Are ○ Were you ready for the test? — Yes, ○ you were ○ I am .

쓰며 개념 정리

부정의 답은 「be동사 + not」 줄이기

08 너는 정직하니? [   ] honest? — Yes, [   ].

09 그는 캐나다 출신이니? [   ] from Canada? — No, [   ].

10 Bill과 Sue는 이웃이니? [   ] neighbors? — Yes, [   ].

11 너희는 오늘 바빴니? [   ] busy today? — No, [   ].

*12 이것은 너의 자전거이니? [   ] your bike? — Yes, [   ].

★ 지시대명사 this / that은 it으로 답하고, these / those는 they로 답하는 것에 주의!

개념 03   be동사 부정문

1   be동사 부정문의 형태는 「주어 + be동사 + [＿＿＿＿＿]」이고, '~이 아니다', '(~에) 없다'는 뜻이다.

2   is not은 [＿＿＿＿]로, are not은 [＿＿＿＿]로 줄여 쓸 수 있지만 [＿＿＿＿＿]은 amn't로 줄여 쓸 수 없다.

3   was not은 [＿＿＿＿]로, were not은 [＿＿＿＿]로 줄여 쓸 수 있다.

주어		be동사 + not	「주어 + be동사 + not」 줄임말	
I	현재형		×	
	과거형			×
he / she / it	현재형		he / she / it isn't	he's / she's / it's not
	과거형		he / she / it wasn't	×
we / you / they	현재형		we / you / they aren't	we're / you're / they're not
	과거형		we / you / they weren't	×

개념 04   be동사 의문문

1   be동사 의문문의 형태는 「[＿＿＿＿] + [＿＿＿＿] ~ ?」이고, '~입니까?', '(~에) 있습니까?'라는 뜻이다.

2   긍정이면 「Yes, 주어 + be동사.」로, 부정이면 「No, 주어 + be동사 + not.」으로 답한다. 답할 때 주어는 [＿＿＿＿]를
쓴다.

3   과거형의 의문문은 「[＿＿＿＿] + 주어 ~?」이고, 「Yes, 주어 + was [were].」 또는 「No, 주어 + wasn't [weren't].」
로 답한다.

4   의문문의 주어가 we일 때는 상황에 따라 you (화자들이 아닌 제 3자) 또는 [＿＿＿＿] (화자들 중 한 명)로 답한다.

주어		의문문_현재형	긍정의 답	부정의 답
1인칭	단수		Yes, [＿＿＿].	No, [＿＿＿].
	복수		Yes, you [we] are.	No, you [we] aren't.
2인칭	단수		Yes, [＿＿＿].	No, [＿＿＿].
	복수		Yes, [＿＿＿].	No, [＿＿＿].
3인칭	단수	Is he / she / it ~?	Yes, he / she / it is.	No, he / she / it isn't.
	복수		Yes, they are.	No, they aren't.

A 다음 문장을 부정문으로 바꿔 쓰시오.

01 My cousin is an actor.

[   ] an actor.

02 They are twins.

[   ] twins.

03 The street was quiet.

[   ] quiet.

04 Your sneakers are dirty.

[   ] dirty.

05 The dogs were at the door.

[   ] at the door.

06 I am happy with the result.

[   ] with the result.

07 This suitcase is heavy.

[   ] heavy.

08 These apples are sour.

[   ] sour.

09 I was here at that time.

[   ] here at that time.

10 Math is my favorite subject.

[   ] my favorite subject.

B 다음 문장을 의문문으로 바꾸고, 그에 알맞은 대답을 쓰시오.

01 The night view was fantastic.

[   ] fantastic?

— Yes, [   ].

02 Today is a holiday.

[   ] a holiday?

— No, [   ].

03 The pictures were in this album.

[   ] in this album?

— Yes, [   ].

04 They are famous dancers.

[   ] famous dancers?

— No, [   ].

05 Julia's sister is in Korea.

[   ] in Korea?

— Yes, [   ].

06 Jake was with his friends.

[   ] with his friends?

— No, [   ].

📖 비교하며 문장 쓰기

표현
노트

016

나는 활동적이다.

| I am active. |

나는 활동적이지 않다.

| I am not active. |

active

017

그는 13살이 아니다.

| |

그들은 13살이 아니다.

| |

thirteen
years old

018

우리는 한국어를 잘 못한다.

| |

그녀는 한국어를 잘 못한다.

| |

be good at /
Korean

019

냄새가 그렇게 나쁘지는 않았다.

| |

냄새가 그렇게 나쁘지는 않다.

| |

the smell /
that bad

020

나는 걱정하지 않는다.

| |

나는 걱정하지 않았다.

| |

worried

021

그것은 그의 시계가 아니었다.

| |

그것들은 내 것이 아니었다.

| |

✗ 소유대명사를 쓰는 것에 주의

his watch /
mine

022

우리는 친하지 않았다.

| |

Julia와 Emma는 친하지 않다.

| |

✗ and로 연결되는 복수 주어에 주의

close

023

Mary는 그때 거기 없었다.

| |

우리는 그때 거기 없었다.

| |

there /
then

📘 **배열하여 문장 쓰기**

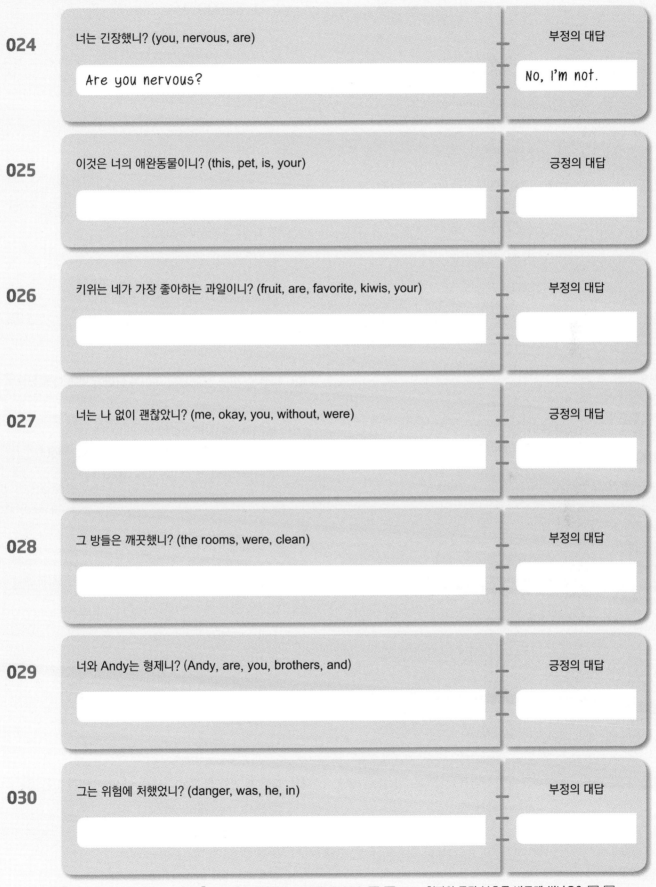

024

너는 긴장했니? (you, nervous, are)

Are you nervous?

부정의 대답

No, I'm not.

025

이것은 너의 애완동물이니? (this, pet, is, your)

긍정의 대답

026

키위는 네가 가장 좋아하는 과일이니? (fruit, are, favorite, kiwis, your)

부정의 대답

027

너는 나 없이 괜찮았니? (me, okay, you, without, were)

긍정의 대답

028

그 방들은 깨끗했니? (the rooms, were, clean)

부정의 대답

029

너와 Andy는 형제니? (Andy, are, you, brothers, and)

긍정의 대답

030

그는 위험에 처했었니? (danger, was, he, in)

부정의 대답

[Self-Editing Checklist] ✔ 대·소문자를 바르게 썼나요? Ⓨ Ⓝ　　✔ 철자와 문장 부호를 바르게 썼나요? Ⓨ Ⓝ

01 다음 중 빈칸에 들어갈 말이 나머지 넷과 다른 것은?

① The cartoon _____ funny.

② Ms. Jones _____ a teacher.

③ My brother _____ very smart.

④ Ted and Amy _____ good friends.

⑤ Math _____ difficult for me.

02 다음 문장의 빈칸에 공통으로 들어갈 말로 알맞은 것은?

- This _____ my cousin, Brian.
- Your book _____ on the desk.
- Today _____ the first day of school.

① be   ② is   ③ are   ④ am   ⑤ were

03 다음 중 밑줄 친 부분의 쓰임이 어색한 것은?

① We are proud of you.

② You and I are different.

③ I are a computer engineer.

④ Their house is very beautiful.

⑤ Your cell phone is in the kitchen.

04 다음 문장의 빈칸에 들어갈 말끼리 바르게 짝지은 것은?

- I _____ born in 2006.
- We _____ at the party last night.

① am — are   ② am — was

③ was — are   ④ am — were

⑤ was — were

05 다음 중 빈칸에 들어갈 말이 나머지 넷과 다른 것은?

① It _____ snowy yesterday.

② My parents _____ with me then.

③ I _____ very busy at that time.

④ The town _____ small ten years ago.

⑤ Mr. Wood _____ a taxi driver last year.

06 다음 문장 중 어법상 어색한 것은?

① Mr. and Mrs. Jones was on vacation.

② The men were tall and handsome.

③ Mozart was a great musician.

④ It was very hot this summer.

⑤ We were in the same club.

07 다음 중 밑줄 친 부분의 의미가 나머지 넷과 다른 것은?

① They are in the library.

② We are baseball players.

③ Mike is a flight attendant.

④ My uncle is an early adopter.

⑤ Emma and Kate are classmates.

08 다음 중 밑줄 친 부분의 의미가 나머지 넷과 다른 것은?

① I was sick last weekend.

② She was absent from school today.

③ The theater was full of people last night.

④ The candies in the box were sweet.

⑤ My friends and I were at the gym.

09 다음 중 밑줄 친 부분이 어법상 어색한 것은?

① It's my English textbook.

② That's a terrible mistake.

③ This's a present for your birthday.

④ You're kind and friendly.

⑤ They're too noisy.

10 다음 중 밑줄 친 부분의 쓰임이 나머지 넷과 다른 것은?

① He's my grandfather.

② I'm a middle school student.

③ She's a famous scientist.

④ It's a very expensive watch.

⑤ Julia's hobby is painting.

대표유형 05 be동사 부정문

11 다음 문장을 부정문으로 바르게 바꾼 것은?

> My mom is a great listener.

① My mom is not a great listener.
② My mom be not a great listener.
③ My mom not is a great listener.
④ My mom was not a great listener.
⑤ My mom not be a great listener.

12 다음 문장을 부정문으로 바꿀 때 not이 들어갈 위치로 알맞은 곳은?

> Emma (①) and her friends (②) are (③) good (④) at (⑤) science.

13 다음 중 빈칸에 weren't가 들어갈 수 <u>없는</u> 것은?

① We _____ sad about the news yesterday.
② The baseball gloves _____ cheap.
③ Chris and Ted _____ afraid of heights.
④ The fruit salad _____ delicious at all.
⑤ My sisters _____ interested in cooking.

14 다음 문장 중 어법상 알맞은 것은?

① I weren't busy last weekend.
② Dave and I amn't from Canada.
③ Mr. White isn't our math teacher.
④ We wasn't professional soccer players.
⑤ My father isn't healthy a year ago.

15 다음 우리말과 일치하도록 할 때 빈칸에 들어갈 말로 가장 알맞은 것은?

> Lily와 Lisa는 쌍둥이가 아니다.
> → Lily and Lisa _____ twins.

① am not   ② is not   ③ was not
④ were not   ⑤ are not

대표유형 06 be동사 의문문

16 다음 대화의 빈칸에 들어갈 말로 알맞은 것은?

> **A** Are you a member of a book club?
> **B** _____

① No, I am.   ② Yes, you are.
③ Yes, I am.   ④ Yes, I'm not.
⑤ No, you aren't.

17 다음 대화의 빈칸에 들어갈 말로 알맞은 것은?

> **A** Was the weather hot in Hong Kong?
> **B** _____ It was cool.

① No, it isn't.   ② Yes, it is.
③ No, it wasn't.   ④ Yes, it was.
⑤ No, they weren't.

18 다음 우리말을 영어로 바르게 나타낸 것은?

> Kate는 음악에 관심이 있니?

① Be Kate interested in music?
② Is Kate interested in music?
③ Was Kate interested in music?
④ Are Kate interested in music?
⑤ Were Kate interested in music?

19 다음 중 질문과 대답을 바르게 짝지은 것은?

① Am I in the right place? – No, we're not.
② Was the trip exciting? – Yes, it is.
③ Are Judy and Andy British? – Yes, we are.
④ Were you in L.A. last year? – Yes, I was.
⑤ Is that girl your daughter? – No, he isn't.

20 다음 문장 중 어법상 <u>어색한</u> 것은?

① Are they from Germany?
② Were you tired last Monday?
③ Was those sandwiches for your son?
④ Is the show popular with teens?
⑤ Is your aunt a fashion designer?

Correct or Incorrect?

	CORRECT	INCORRECT
1 be동사는 주어의 인칭과 수에 따라 형태가 다르다.	○	○
2 This is는 This's로 줄여 쓸 수 있다.	○	○
3 be동사의 부정문은 be동사 앞에 not을 쓴다.	○	○
4 be동사 의문문의 주어가 you이면 I 또는 we로 답한다.	○	○

바로
문장
확인

	CORRECT	INCORRECT
5 Julia and Dave is from Australia.	○	○
6 This's my grandfather's guitar.	○	○
7 I wasn't in the classroom at that time.	○	○
8 Are you sleepy? — No, you aren't.	○	○
9 Were you and your sister close? — Yes, we are.	○	○

Answers p. 3

UNIT 02

일반동사

핵심 개념 바로 확인

I know! ☺ No idea! ☹

- 일반동사는 be동사와 조동사를 제외한 모든 동사로   ☺ ☹
  주어의 동작이나 상태를 나타낸다.
- 동사원형은 read, eat, play, sing처럼 일반동사의   ☺ ☹
  기본 형태를 말한다.

개념 05 일반동사 현재형

I take care of my dog after school.

Emma exercises regularly.
Emma는 she

Ms. White goes to work at seven.
Ms. White는 she

My brother studies math every day.
My brother는 he

The house has many large windows.
The house는 it

		일반동사 현재형
주어가 I, you, we, they		동사원형
주어가 he, she, it	대부분의 동사	동사원형 + -s
	-o, -(s)s, -sh, -ch, -x로 끝나는 동사	동사원형 + -es
	「자음+y」로 끝나는 동사	-y → -ies
	have	has

바로 개념

1 주어가 1인칭(I, we), 2인칭(you), 그리고 3인칭 복수일 때 일반동사 현재형은 동사원형을 쓴다.

2 주어가 3인칭 단수(he, she, it)일 때는 일반적으로 동사원형에 -(e)s를 붙인다.

3 have는 불규칙 변화를 하는 동사로 주어가 3인칭 단수일 때 has로 쓴다.

4 동사의 현재형을 쓰는 경우: 일반적 사실, 습관이나 반복되는 일, 그리고 빈도를 나타낼 때 쓴다.

✔ 고르며 개념 확인

Answers p. 3

01 She ○ works ○ work at a bank.

02 Brian and I ○ plays ○ play basketball every Saturday.

03 My father ○ washes ○ washs the dishes after dinner.

*04 Ms. Jones always ○ carrys ○ carries her notebook.

05 My grandma ○ have ○ has a beautiful garden.

06 We ○ study ○ studies English three times a week.

07 Todd ○ fixs ○ fixes his computer by himself.

★ always(항상), sometimes (때때로)와 같이 빈도를 나타 내는 부사는 일반동사 앞, be동 사와 조동사 뒤에 쓴다.

✏ 쓰며 개념 정리

08 나는 6시에 일어난다. (get) _____ up at six.

09 그는 매일 요가를 한다. (do) _____ yoga every day.

10 그들은 랩 음악을 좋아한다. (like) _____ rap music.

11 그녀는 공포 영화를 즐긴다. (enjoy) _____ horror movies.

12 그 고양이는 꼬리가 길다. (have) _____ a long tail.

일반동사 현재형_부정문, 의문문

I don't like vegetables.

My sister doesn't drink milk.

Do you have healthy habits? — Yes, I do.

Does Jason live in L.A.? — No, he doesn't.

	주어	형태
부정문	I, you, we, they	주어 + <u>do</u> not [don't] + 동사원형 ~. 부정문을 만드는 조동사 do
	he, she, it	주어 + does not [doesn't] + 동사원형 ~.
의문문	I, you, we, they	<u>Do</u> + 주어 + 동사원형 ~? 의문문을 만드는 조동사 do – Yes, 주어 + do. / No, 주어 + don't.
	he, she, it	Does + 주어 + 동사원형 ~? – Yes, 주어 + does. / No, 주어 + doesn't.

바로 개념

1 일반동사 현재형의 부정문은 「주어 + do [does] not + 동사원형 ~.」의 형태이고, do not과 does not은 각각 don't와 doesn't로 줄여 쓸 수 있다.

2 일반동사 현재형의 의문문은 「Do [Does] + 주어 + 동사원형 ~?」의 형태이다. 긍정의 답은 「Yes, 주어 + do [does].」로, 부정의 답은 「No, 주어 + don't [doesn't].」로 한다. 답할 때 주어는 의문문 주어에 해당하는 인칭대명사를 쓴다.

✔ 고르며 개념 확인

Answers p. 3

01 My father ○ don't ○ doesn't watch TV.

02 ○ Do ○ Does Jenny ○ likes ○ like math?

03 I ○ don't ○ doesn't know your email address.

04 Do ○ your sister ○ your sisters enjoy Thai food?

05 Alex ○ doesn't has ○ doesn't have a cell phone.

06 ○ Do ○ Does Bill and Sue live close to each other?

07 ○ Do ○ Does Ted cook well? — Yes, ○ Ted does ○ he does .

✏ 쓰며 개념 정리

08 내가 학생처럼 보이니? [_____] look like a student? — No, [_____].

09 너는 아침을 먹니? [_____] eat breakfast? — Yes, [_____].

10 Andy는 한국어를 하니? [_____] speak Korean? — Yes, [_____].

11 그들은 박물관에서 일하니? [_____] work in a museum? — No, [_____].

12 그것이 말이 되니? [_____] make sense? — No, [_____].

바로 개념 확인 노트

개념 05   일반동사 현재형

1   주어가 1인칭(I, we), 2인칭(you), 그리고 3인칭 복수일 때 일반동사 현재형은 동사원형을 쓴다.

2   주어가 3인칭 단수(he, she, it)일 때는 일반적으로 동사원형에 -(e)s를 붙인다.

3   have는 불규칙 변화를 하는 동사로 주어가 3인칭 단수일 때 has로 쓴다.

4   동사의 현재형을 쓰는 경우: 일반적 사실, [   ] 이나 반복되는 일, 그리고 [   ] 를 나타낼 때
쓴다.

		일반동사 현재형			
주어가 I, you, we, they		[ ]	wear →	[ ]	
주어가 he, she, it	대부분의 동사	동사원형 + [ ]	see →	[ ]	
			go →	[ ]	
			pass →	[ ]	
	-o, -(s)s, -sh, -ch, -x로 끝나는 동사	동사원형 + [ ]	wish →	[ ]	
			catch →	[ ]	
			mix →	[ ]	
	「자음 + y」로 끝나는 동사	-y → [ ]	fly →	[ ]	
	have			[ ]	

개념 06   일반동사 현재형_부정문, 의문문

	주어	형태
부정문	I, you, we, they	주어 + [ ] + 동사원형 ~.
	he, she, it	주어 + [ ] + 동사원형 ~.
의문문	I, you, we, they	[ ] + 주어 + 동사원형 ~? — Yes, 주어 + [ ]. / No, 주어 + [ ]. ↳ 답할 때는 의문문 주어에 해당하는 인칭대명사를 쓴다.
	he, she, it	Does + 주어 + 동사원형 ~? — Yes, 주어 + [ ]. / No, 주어 + [ ].

A 다음 문장의 밑줄 친 부분을 바르게 고치시오.

01   Cindy is a singer and she <u>enjoyes</u> her job.

02   Do you <u>wants</u> a glass of water?

03   My grandparents <u>doesn't</u> live in the country.

04   <u>Are</u> Mr. and Mrs. White dance well?

05   They <u>not clean</u> up after their dogs.

06   <u>Does</u> these shoes light and comfortable?

07   I <u>doesn't</u> have time for shopping.

08   Julia <u>brushs</u> her teeth four times a day.

B 괄호 안에 주어진 단어의 현재형을 쓰고, 부정문이나 의문문으로 바꿔 쓰시오.

01   I _____ a new computer. (need)

   부정문 ➔ _____ a new computer.

02   She _____ a big family. (have)

   의문문 ➔ _____ a big family?

03   Mike and Kate _____ TV in the morning. (watch)

   부정문 ➔ _____ TV in the morning.

04   Her mother _____ English. (teach)

   의문문 ➔ _____ English?

05   The old man _____ about his health. (worry)

   부정문 ➔ _____ about his health.

06   They _____ every day. (exercise)

   의문문 ➔ _____ every day?

07   He _____ coffee after lunch. (drink)

   부정문 ➔ _____ after lunch.

📖 **비교하며 문장 쓰기**

031   나는 매운 음식을 좋아한다.   I like spicy food.

그녀는 매운 음식을 좋아한다.

032   그녀는 규칙적으로 운동을 하니?   Does she exercise regularly?

너는 규칙적으로 운동을 하니?

033   아침을 먹고, 우리는 학교에 간다.   After breakfast, we go to school.

아침을 먹고, 그는 학교에 간다.

034   그는 안경을 쓴다.   He wears glasses.

그는 안경을 쓰지 않는다.

035   나는 고양이 한 마리가 있다.   I have a cat.

그녀는 고양이 두 마리가 있다.

✖ 복수 명사에 주의

036   그는 열심히 일하지 않는다.   He doesn't work hard.

그들은 열심히 일하지 않는다.

037   그는 태국의 작은 마을에 산다.   He lives in a small village in Thailand.

우리는 태국의 작은 마을에 산다.

038   너는 컴퓨터 게임을 하니?   Do you play computer games?

그는 컴퓨터 게임을 하지 않는다.

📖 **표현 이용하여 문장 쓰기**

039 그녀는 잠을 충분히 잔다.

sleep, she, enough, get

She gets enough sleep.

040 나는 전 세계에 친구들이 있다.

all around the world, from, I, friends, have

041 나의 오빠는 재미없는 사진을 좋아하지 않는다.

my brother, boring pictures, like

042 너는 그 이야기를 아니?

you, the story, know

043 나는 횡단보도에서 휴대전화를 사용하지 않는다.

at a crosswalk, I, my cell phone, use

044 그녀는 토요일마다 자전거를 탄다.

every Saturday, she, her bike

045 그녀는 학교에서 멀리 사니?

live, school, far from, she

[Self-Editing Checklist] ✅ 대·소문자를 바르게 썼나요? Y N   ✅ 철자와 문장 부호를 바르게 썼나요? Y N

I watch<u>ed</u> TV last night.

He liv<u>ed</u> in Spain two years ago.

Mike and I stud<u>ied</u> together yesterday.

The baby dropp<u>ed</u> the spoon.

	일반동사 과거형	
규칙 변화	대부분의 동사	동사원형＋-ed
	-e로 끝나는 동사	동사원형＋-d
	「자음＋y」로 끝나는 동사	-y → -ied
	「단모음+단자음」으로 끝나는 동사	마지막 자음을 한 번 더 쓰고＋-ed
불규칙 변화	현재형과 과거형이 같은 동사	cut → cut, put → put, read → read, let → let 등
	현재형과 다른 형태로 바뀌는 동사	do → did, meet → met, have → had, go → went 등

바로 개념

1 일반동사 과거형은 과거에 일어난 일이나 동작, 상태 등을 나타낼 때 쓰며, 일반적으로 동사원형에 -(e)d를 붙인다.

2 동사의 과거형 불규칙 변화는 현재형과 형태가 같은 것과 다른 형태로 바뀌는 것이 있다. ★불규칙 동사표(40-41쪽)

3 과거를 나타내는 부사(구)인 yesterday, a few days ago, in＋과거년도, last night, at that time, then 등과 주로 함께 쓰인다.

✅ **고르며 개념 확인**   Answers p. 4

01 It ○ rains   ○ rained   a lot yesterday.

02 I ○ goed   ○ went   to a movie with my friends last night.

03 Julia ○ plaied   ○ played   computer games all day long.

04 The man ○ wrote   ○ writed   a great story in 1980.

05 He ○ breaks   ○ broke   the window a few days ago.

06 They ○ cried   ○ cryed   and ○ laugh   ○ laughed   by turns.

07 I ○ stepped   ○ steped   into the stream, and the water ○ is   ○ was   cold.

✏️ **쓰며 개념 정리**

08 그녀는 감기에 걸렸다. (have)   [   ] a cold.

09 나는 지난달에 책을 두 권 읽었다. (read)   [   ] two books last month.

10 그는 오늘 아침에 버스를 놓쳤다. (miss)   [   ] the bus this morning.

11 우리는 조금 전에 그 소식을 들었다. (hear)   [   ] the news a while ago.

12 그들은 2017년에 부산으로 이사했다. (move)   [   ] to Busan in 2017.

일반동사 과거형_부정문, 의문문

He didn't text me yesterday.

We didn't have time for rest.

조동사 do의 과거형
Did you do your homework? — Yes, I did.
일반동사 do(하다)

Did Mark take this picture? — No, he didn't.

	형태
부정문	주어 + did not [didn't] + 동사원형 ~. 부정문을 만드는 조동사 do의 과거형
의문문	Did + 주어 + 동사원형 ~? 의문문을 만드는 조동사 do의 과거형 — Yes, 주어 + did. / No, 주어 + didn't.

바로 개념

1 일반동사 과거형의 부정문은 주어의 인칭이나 수에 상관없이 「주어 + did not [didn't] + 동사원형 ~.」의 형태이다.

2 일반동사 과거형의 의문문도 주어의 인칭이나 수에 상관없이 「Did + 주어 + 동사원형 ~?」의 형태로 쓰고, 긍정의 답은 「Yes, 주어 + did.」로, 부정의 답은 「No, 주어 + didn't.」로 한다. 의문문에 답할 때 주어는 항상 인칭대명사를 쓴다.

✓ 고르며 개념 확인

Answers p. 4

01 I ○ don't ○ didn't call you last night.

02 Did you ○ go ○ went to bed early? — No, I ○ did ○ didn't .

03 The man didn't ○ tells ○ tell the truth to the police.

04 People ○ don't agree ○ didn't agree with her idea at that time.

05 ○ Did ○ Do Edison invent the light bulb? — Yes, he ○ did ○ do .

06 The little girl didn't ○ gave ○ give up on her dream.

07 My brother ○ didn't do ○ didn't the dishes after breakfast.

✎ 쓰며 개념 정리

08 너는 점심을 먹고 이를 닦았니? (brush) [_____] your teeth after lunch?

09 나는 어제 그를 만나지 않았다. (meet) [_____] him yesterday.

10 그녀는 그 퍼즐을 풀었니? (solve) [_____] the puzzle?

11 우리는 그 그림을 사지 않았다. (buy) [_____] the painting.

12 그는 작년에 캐나다로 여행을 갔니? (travel) [_____] to Canada last year?

일반동사 불규칙 변화표

A-A-A 형의 동사

원형	과거형	과거분사형
put 두다, 놓다	put	put
set 놓다, 맞추다	set	set
cost 비용이 들다	cost	cost
cast 던지다	cast	cast
read 읽다 [riːd]	read [réd] 발음에 주의	read
let 놓아두다, 허락하다	let	let
hurt 다치다	hurt	hurt
hit 때리다, 치다	hit	hit
quit 그만두다	quit / quitted	quit / quitted
burst 터지다	burst	burst
spread 펼치다, 펴다	spread	spread
shut 닫다	shut	shut

A-B-B 형의 동사

원형	과거형	과거분사형
bring 가져오다	brought	brought
buy 사다	bought	bought
seek 찾다, 구하다	sought	sought
fight 싸우다	fought	fought
think 생각하다	thought	thought
teach 가르치다	taught	taught
catch 잡다	caught	caught
keep 유지하다	kept	kept
lend 빌려주다	lent	lent
send 보내다	sent	sent

원형	과거형	과거분사형
build 짓다, 건설하다	built	built
feel 느끼다	felt	felt
spend 쓰다	spent	spent
flee 달아나다	fled	fled
bleed 피를 흘리다	bled	bled
leave 떠나다, 출발하다	left	left
mean 의미하다	meant	meant
meet 만나다	met	met
sleep 잠을 자다	slept	slept
light 불을 붙이다	lit / lighted	lit / lighted
hear 듣다	heard	heard
lose 잃어버리다	lost	lost
shoot 쏘다	shot	shot
dig 파다	dug	dug
hold 지니다, 잡다	held	held
shine 빛나다	shone / shined	shone / shined
hang 걸다, 매달다	hung / hanged	hung / hanged
sell 팔다	sold	sold
tell 말하다	told	told
feed 먹이다	fed	fed
lead 이끌다	led	led
sit 앉다	sat	sat
make 만들다	made	made
say 말하다	said	said
pay 지불하다	paid	paid

원형	과거형	과거분사형
lay 놓다, (알을) 낳다	laid	laid
get 얻다	got	got / gotten
have 가지다, 먹다	had	had
win 이기다	won	won
bend 구부리다	bent	bent
find 발견하다	found	found
stand 서다	stood	stood
understand 이해하다	understood	understood
spill 엎지르다	spilt / spilled	spilt / spilled

A-B-A 형의 동사

원형	과거형	과거분사형
come 오다	came	come
become 되다	became	become
run 달리다	ran	run

A-B-C 형의 동사

원형	과거형	과거분사형
eat 먹다	ate	eaten
fall 떨어지다	fell	fallen
give 주다	gave	given
forgive 용서하다	forgave	forgiven
hide 숨기다, 숨다	hid	hidden
write 쓰다	wrote	written
bite 깨물다	bit	bitten
forget 잊다	forgot	forgotten
freeze 얼다	froze	frozen

원형	과거형	과거분사형
take 가지고 가다	took	taken
break 부수다	broke	broken
choose 고르다	chose	chosen
speak 말하다	spoke	spoken
wake 깨다	woke	woken
show 보여 주다	showed	shown / showed
fly 날다	flew	flown
throw 던지다	threw	thrown
grow 자라다	grew	grown
draw 그리다	drew	drawn
blow 불다	blew	blown
know 알다	knew	known
lie 눕다	lay	lain
steal 훔치다	stole	stolen
see 보다	saw	seen
go 가다	went	gone
drive 운전하다	drove	driven
rise 오르다	rose	risen
ride 타다	rode	ridden
wear 입다	wore	worn
bear 낳다, 견디다	bore	born
begin 시작하다	began	begun
drink 마시다	drank	drunk
ring 울리다	rang	rung
sing 노래하다	sang	sung
swim 헤엄치다	swam	swum

개념 07 일반동사 과거형

1 일반동사 과거형은 과거에 일어난 일이나 동작, 상태 등을 나타낼 때 쓰며, 일반적으로 동사원형에 -(e)d를 붙인다.

2 동사의 과거형 불규칙 변화는 현재형과 형태가 같은 것과 다른 형태로 바뀌는 것이 있다.

3 과거를 나타내는 부사(구)인 [   ] (어제), a few days ago, in + 과거년도, [   ] (어젯밤), at that time, then 등과 주로 함께 쓰인다.

일반동사 과거형		
규칙 변화	대부분의 동사	동사원형 + [ ]
	-e로 끝나는 동사	동사원형 + [ ]
	「자음 + y」로 끝나는 동사	-y → [ ]
	「단모음 + 단자음」으로 끝나는 동사	마지막 [ ] 을 한 번 더 쓰고 + [ ]
불규칙 변화	현재형과 과거형이 같은 동사	cut → [ ], put → [ ], read → [ ], let → [ ] 등
	현재형과 다른 형태로 바뀌는 동사	do → [ ], meet → [ ], have → [ ], go → [ ] 등

개념 08 일반동사 과거형_부정문, 의문문

1 일반동사 과거형의 부정문과 의문문은 주어의 인칭이나 수에 상관없이 [   ] 를 사용한다.

2 의문문에 답할 때 주어는 항상 [   ] 를 쓴다.

형태		
부정문	주어 + [ ] + [ ] ~.	
의문문	[ ] + 주어 + [ ] ~?	
	— Yes, 주어 + [ ]. / No, 주어 + [ ].	

A 다음 문장의 밑줄 친 부분을 바르게 고치시오.

01 I <u>lose</u> my smartphone last Friday.

02 Did you <u>bought</u> a birthday gift for Emma?

03 Chris didn't <u>understood</u> the news article.

04 My best friend <u>become</u> a singer in 2015.

05 <u>Do</u> you have fun at the beach yesterday?

06 They <u>don't</u> go to the supermarket an hour ago.

07 I <u>didn't</u> have time for reading now.

08 Did you <u>putted</u> the plastic bottle in a recycling bin?

B 괄호 안에 주어진 단어의 과거형을 쓰고, 부정문이나 의문문으로 바꿔 쓰시오.

01 He [   ] my bike for free. (fix)

부정문 → [   ] my bike for free.

02 Yoga [   ] in India. (start)

의문문 → [   ] in India?

03 The cat [   ] birth to four babies. (give)

의문문 → [   ] four babies?

04 I [   ] many friends here. (have)

부정문 → [   ] many friends here.

05 The train [   ] on the tracks this morning. (stop)

의문문 → [   ] on the tracks this morning?

06 She [   ] a letter to her mother. (write)

의문문 → [   ] to her mother?

07 Jake [   ] care of my dogs during the weekend. (take)

부정문 → [   ] my dogs during the weekend.

📖 배열하여 문장 쓰기

046 우리는 여러 길거리 음식을 맛보았다. (street foods, we, different, tried)

We tried different street foods.

047 너는 한라산을 등반했니? (Mt. Halla, you, did, climb)

048 그는 내가 보고서 쓰는 것을 도와주었다. (with my report, helped, me, he)

049 그들은 같은 방식으로 생각하지 않았다. (feel, they, the same way, didn't)

050 너는 목요일에 봉사 활동을 했니? (did, volunteer work, you, on Thursday, do)

051 그녀는 우리에게 빵을 조금 주었다. (to us, she, some bread, gave)

052 지난주에 우리 반은 대영박물관으로 견학을 갔다. (the British Museum, our class, a day tour, had, of)

last week.

053 우리는 10시에 벼룩시장에 도착했다. (the flea market, we, at ten o'clock, arrived at)

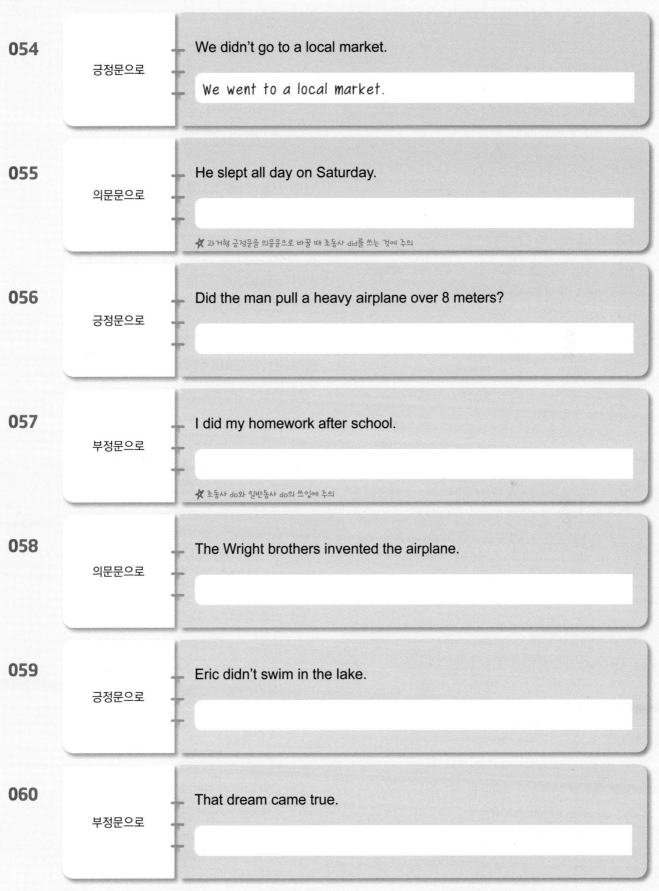

📑 **조건에 맞게 문장 바꿔 쓰기**

054 | 긍정문으로
We didn't go to a local market.

We went to a local market.

055 | 의문문으로
He slept all day on Saturday.

★ 과거형 긍정문을 의문문으로 바꿀 때 조동사 did를 쓰는 것에 주의

056 | 긍정문으로
Did the man pull a heavy airplane over 8 meters?

057 | 부정문으로
I did my homework after school.

★ 조동사 do와 일반동사 do의 쓰임에 주의

058 | 의문문으로
The Wright brothers invented the airplane.

059 | 긍정문으로
Eric didn't swim in the lake.

060 | 부정문으로
That dream came true.

[Self-Editing Checklist] ✅ 대·소문자를 바르게 썼나요? Ⓨ Ⓝ ✅ 철자와 문장 부호를 바르게 썼나요? Ⓨ Ⓝ

대표유형 01 　일반동사 현재형

01 다음 중 밑줄 친 부분이 어법상 옳은 것은?

① The dog <u>have</u> a long tail.
② My brother <u>draw</u> pictures well.
③ Ms. White <u>get</u> up early every day.
④ Jane and Tony <u>go</u> to the same school.
⑤ A bird <u>fly</u> high in the sky.

02 다음 문장의 빈칸에 들어갈 말로 알맞은 것은?

_____ often wears blue jeans.

① I　　　② You　　　③ Her parents
④ They　　　⑤ My friend Chris

03 다음 중 동사의 3인칭 단수 현재형이 잘못 짝지어진 것은?

① fix — fixs　　　② lie — lies
③ pay — pays　　　④ copy — copies
⑤ finish — finishes

04 다음 중 밑줄 친 부분을 고쳐 쓴 것이 어색한 것은?

① He <u>watch</u> the show every Saturday. (→ watchs)
② She <u>playes</u> the piano well. (→ plays)
③ The sun <u>rise</u> in the east. (→ rises)
④ You and Dave <u>looks</u> happy. (→ look)
⑤ Amy <u>keep</u> a diary every day. (→ keeps)

대표유형 02 　일반동사 과거형

05 다음 중 동사의 과거형이 잘못 짝지어진 것은?

① like — liked　　　② read — read
③ say — said　　　④ try — tried
⑤ sit — sitted

06 다음 중 밑줄 친 부분이 어법상 어색한 것은?

① I <u>sent</u> an email to him.
② The police <u>stoped</u> my car.
③ We <u>enjoyed</u> the game yesterday.
④ They <u>lived</u> in Canada several years ago.
⑤ The Korean War <u>broke</u> out in 1950.

07 다음 중 빈칸에 들어갈 말을 바르게 짝지은 것은?

• Mia _____ her arm a week ago.
• World War II _____ in 1945.

① hurt — ended　　　② hurts — ends
③ hurt — end　　　④ hurted — end
⑤ hurted — ended

08 다음 문장의 빈칸에 들어갈 수 <u>없는</u> 것은?

I _____ last summer.

① met him　　　② was sick
③ learned tennis　　　④ read five books
⑤ open a restaurant

대표유형 03 　일반동사_부정문

09 다음 문장을 부정문으로 바르게 고친 것은?

My sister likes romance movies.

① My sister not likes romance movies.
② My sister don't like romance movies.
③ My sister don't likes romance movies.
④ My sister doesn't like romance movies.
⑤ My sister doesn't likes romance movies.

10 다음 중 빈칸에 didn't가 들어갈 수 있는 것은?

① I _____ went on a picnic.
② He _____ build the building.
③ We _____ studied at the library.
④ They _____ cleaned the living room.
⑤ She _____ watered the plants today.

11 다음 밑줄 친 부분 중 어법상 어색한 것은?

① I <u>don't need</u> your help now.
② Mr. Brown <u>didn't read</u> my essay.
③ The hotel <u>doesn't have</u> a swimming pool.
④ Mike and I <u>didn't play</u> basketball together.
⑤ Kate and Judy <u>doesn't like</u> each other.

12 다음 우리말을 영어로 바르게 나타낸 것은?

> Emma는 그 질문에 답하지 않았다.

① Emma answers the question.
② Emma answered the question.
③ Emma didn't answer the question.
④ Emma doesn't answer the question.
⑤ Emma doesn't answers the question.

대표유형 04 일반동사_의문문

13 다음 문장의 빈칸에 들어갈 수 있는 것을 <u>모두</u> 고르면?

> _____ you like sports?

① Are   ② Were   ③ Do
④ Does   ⑤ Did

---

14 다음 대화의 빈칸에 들어갈 말을 바르게 짝지은 것은?

> **A** _____ you want some ice cream?
> **B** No, _____.

① Do — I don't   ② Are — I'm not
③ Do — I didn't   ④ Did — I don't
⑤ Do — you don't

---

15 다음 문장 중 어법상 <u>어색한</u> 것은?

① Do you like the color blue?
② Does your dog bite people?
③ Did it snow in Boston yesterday?
④ Do they go to an amusement park last Sunday?
⑤ Did they arrive at the airport on time?

---

16 다음 질문에 대한 응답으로 가장 알맞은 것은?

> Does Ms. Smith know your name?

① Yes, she is.   ② No, he isn't.
③ Yes, he does.   ④ No, he doesn't.
⑤ Yes, she does.

---

17 다음 중 의문문으로 <u>잘못</u> 바꾼 것은?

① The bus runs every 20 minutes.
  ➔ Does the bus run every 20 minutes?
② Bob lived in Spain in 2016.
  ➔ Did Bob live in Spain in 2016?
③ They sell organic vegetables.
  ➔ Do they sell organic vegetables?
④ Brian has a funny nickname.
  ➔ Does Brian has a funny nickname?
⑤ She bought a new bike last week.
  ➔ Did she buy a new bike last week?

대표유형 05 통합형

18 다음 중 밑줄 친 부분의 쓰임이 나머지 넷과 <u>다른</u> 것은?

① <u>Did</u> you go to the library after school?
② The restaurant <u>did</u> not open yesterday.
③ She <u>did</u> volunteer work last weekend.
④ <u>Did</u> you have a headache this morning?
⑤ We <u>did</u> not go to the movies.

---

19 다음 문장을 지시대로 바꾼 것 중 옳은 것은?

① I turned off the light. (부정문으로)
  ➔ I didn't turned off the light.
② He stayed at home today. (의문문으로)
  ➔ Does he stay at home today?
③ My grandma reads a lot. (과거형으로)
  ➔ My grandma read a lot.
④ Did Mark fix the computer? (평서문으로)
  ➔ Mark fixes the computer.
⑤ She cries all the time. (의문문으로)
  ➔ Did she cry all the time?

---

20 다음 빈칸에 들어갈 말이 나머지 넷과 <u>다른</u> 것은? (단, 현재형으로 할 것)

① _____ Julia like her school?
② My mom _____ not drink coffee.
③ _____ you go to school by bus?
④ _____ your brother play the violin?
⑤ The mall _____ not have a bookstore.

Correct
or ?
Incorrect

		CORRECT	INCORRECT
1	일반동사 현재형은 3인칭 단수 주어일 때 형태가 달라진다.	○	○
2	일반동사 부정문은 be동사를 이용해서 만든다.	○	○
3	현재형과 과거형의 형태가 같은 일반동사도 있다.	○	○
4	일반동사 과거형의 의문문은 주어에 상관없이 형태가 같다.	○	○

		CORRECT	INCORRECT
5	A bus arrive at the bus stop.	○	○
6	I have dark circles under my eyes.	○	○
7	Our bodies aren't digest food well at night.	○	○
8	He readed a book yesterday.	○	○
9	Did she call you last night?	○	○

Answers p. 5

UNIT 03

시제

핵심 개념 바로 확인   I know! ☺ No idea! ☹

✔ 시제는 어떤 사건이나 동작이 언제 일어나는지를 나타낸   ☺ ☹
   것으로 동사의 형태를 바꿔서 표현한다.

현재 시제, 과거 시제

They **are** always busy on Saturdays. 반복되는 일

Water **freezes** at 0℃. 과학적 사실

He **was** thirteen years old last year. 과거의 상태

We **went** for a picnic yesterday. 과거의 동작

King Sejong **created** Hangeul in 1443. 역사적 사실

현재 시제	be동사 현재형 (am, are, is)	① 현재의 동작이나 상태 ② 습관이나 반복되는 일 ③ 일반적 사실이나 불변의 진리 ④ 속담이나 격언 ⑤ 대중교통, 영화 등의 예정된 시간표
	일반동사 현재형	
과거 시제	be동사 과거형 (was, were)	① 이미 끝난 과거의 동작이나 상태 ② 역사적 사실
	일반동사 과거형	

바로 개념

1 현재 시제는 현재의 상태, 과거–현재–미래에 걸쳐 반복되는 일이나 습관, 그리고 일반적인 사실이나 변하지 않는 사실을 나타낸다. now, every ~, twice a week, always, usually 등의 부사구와 자주 쓰인다.

2 과거 시제는 과거의 상태나 과거의 특정 시점에 일어난 일을 나타낸다. yesterday, last ~, a week ago, then, at that time, in＋과거년도, once((과거의) 언젠가) 등의 부사구와 자주 쓰인다.

✔ 고르며 개념 확인

Answers p. 6

01 She ○ gets   ○ get   up at 7 a.m. every day.

02 I ○ see   ○ saw   the movie last weekend.

03 This backpack ○ costs   ○ cost   50 dollars now.

04 Habit ○ is   ○ was   second nature.

05 Steve once ○ spends   ○ spent   a year in Africa.

06 Tim Berners-Lee ○ invents   ○ invented   the World Wide Web (WWW).

✏ 쓰며 개념 정리

07 서울은 한국의 수도이다. (be) 　　　　　　 the capital of Korea.

08 나는 한 시간 전에 점심을 먹었다. (have) 　　　　　　 lunch an hour ago.

09 그녀는 현재 중국에서 영어를 가르친다. (teach) 　　　　　　 English in China now.

10 그는 지난 금요일에 쇼핑을 하러 갔다. (go) 　　　　　　 shopping last Friday.

11 그녀는 어제 시계를 잃어버렸다. (lose) 　　　　　　 her watch yesterday.

12 해는 서쪽으로 진다. (set) 　　　　　　 in the west.

I will travel **around the world some day.**

It will not rain **in the afternoon.**

Will **you** be **at home at 6 p.m.?** – Yes, I will.

Is **Bill** going to **help me?** – No, he isn't.

will	긍정문	주어 + will + 동사원형 ~.
	부정문	주어 + will not [won't] + 동사원형 ~.
	의문문	Will + 주어 + 동사원형 ~? – Yes, 주어 + will. / No, 주어 + won't.
be going to	긍정문	주어 + be동사 + going to + 동사원형 ~.
	부정문	주어 + be동사 + not going to + 동사원형 ~.
	의문문	be동사 + 주어 + going to + 동사원형 ~? – Yes, 주어 + be동사. / No, 주어 + be동사 + not.

바로 개념

1 미래 시제는 '~할 것이다'라는 뜻으로 미래에 일어날 일에 대한 예측이나 미래의 계획을 나타내며 조동사 will 또는 be going to를 이용해 쓴다.

2 will은 주로 예정되지 않은 미래의 일을 예측하거나 주어의 의지를 나타낼 때 쓰며, 주어에 따라 형태가 변하지 않는다.

3 be going to는 일반적으로 가까운 미래의 일을 예측하거나 의도된 계획을 나타낼 때 쓴다.

✅ **고르며 개념 확인**   Answers p. 6

01 It ◯ will is   ◯ will be   sunny tomorrow.

02 Are you ◯ going to be   ◯ go to be   fifteen next month?

03 She ◯ wills   ◯ will   be a great musician some day.

04 ◯ Is   ◯ Will   Ted going to buy a car? – No, ◯ he won't   ◯ he isn't .

05 I ◯ am going to   ◯ will   not travel to Japan.

06 We ◯ are   ◯ will   going to throw a surprise party for Anna.

07 ◯ Will   ◯ Are   you go skiing this winter? – Yes, I ◯ will   ◯ am .

08 Small changes in temperature ◯ will   ◯ are going   to bring about many problems.

✏️ **쓰며 개념 정리**   주어진 표현 사용하여 미래 시제로 쓰기

09 He joins the drama club.   will   ➡

10 I don't eat pizza for dinner.   be going to   ➡

11 He doesn't take the subway.   will   ➡

12 Does Julia clean her room?   be going to   ➡

개념 09 현재 시제, 과거 시제

1 현재 시제는 현재의 상태, 과거 – 현재 – 미래에 걸쳐 [　　　　　]되는 일이나 습관, 그리고 일반적인 사실이나 변하지 않는 사실을 나타낸다. now, every ~, twice a week, always, usually 등의 부사구와 자주 쓰인다.

2 과거 시제는 과거의 상태나 과거의 특정 시점에 일어난 일을 나타낸다. yesterday, last ~, a week ago, then, at that time, [　　　　　]+과거년도, once((과거의) 언젠가) 등의 부사구와 자주 쓰인다.

현재 시제	be동사 현재형 (am, are, is)	① 현재의 동작이나 상태 ② [　　　　　]이나 반복되는 일 ③ 일반적 사실이나 불변의 진리 ④ [　　　　　]이나 격언 ⑤ 대중교통, 영화 등의 예정된 시간표
	일반동사 현재형	
과거 시제	be동사 과거형 (was, were)	① 이미 끝난 과거의 동작이나 상태 ② [　　　　　] 사실
	일반동사 과거형	

개념 10 미래 시제

1 미래 시제는 '[　　　　　]'라는 뜻으로 미래에 일어날 일에 대한 예측이나 미래의 계획을 나타내며 조동사 will 또는 be going to를 이용해 쓴다.

2 will은 주로 예정되지 않은 미래의 일을 예측하거나 주어의 [　　　　　]를 나타낼 때 쓰며, 주어에 따라 형태가 변하지 않는다.

3 be going to는 일반적으로 가까운 미래의 일을 예측하거나 의도된 [　　　　　]을 나타낼 때 쓴다.

will	긍정문	주어＋will＋동사원형 ~.
	부정문	주어＋will not [　　　　　]＋동사원형 ~.
	의문문	[　　　　　]＋주어＋동사원형 ~? – Yes, 주어＋will. / No, 주어＋won't.
be going to	긍정문	주어＋be동사＋going to＋동사원형 ~.
	부정문	주어＋be동사＋[　　　　　]＋동사원형 ~.
	의문문	[　　　　　]＋주어＋[　　　　　]＋동사원형 ~? – Yes, 주어＋be동사. / No, 주어＋be동사＋not.

A 다음 문장에서 밑줄 친 부분을 어법에 맞게 고치시오.

01 Last month, I <u>go camping</u> with my family.

02 <u>Will the train</u> going to arrive on time?

03 A friend in need <u>was a friend</u> indeed.

04 They <u>are not interested</u> in my idea at that time.

05 I <u>be going</u> to make a special lunch for my parents.

06 Jessica <u>plays chess</u> an hour ago.

07 People <u>don't drive</u> cars in the future.

08 Every August, many people <u>gathered</u> in Spain for the *La Tomatina*.

*La Tomatina 스페인 토마토 축제

B 다음 우리말과 같도록 괄호 안의 표현을 이용하여 문장을 완성하시오.

01 Sally와 나는 이번 토요일에 테니스를 칠 것이다. (be going to, play)

→ Sally and I ⬚ tennis this Saturday.

02 그는 한 달에 한 번씩 영화를 보러 간다. (go to a movie)

→ He ⬚ once a month.

03 Vincent van Gogh는 '해바라기'를 1889년에 그렸다. (paint)

→ Vincent van Gogh ⬚ *Sunflowers* in 1889.

04 그녀는 오늘밤에 너에게 전화를 할 것이다. (will, call)

→ She ⬚ you tonight.

05 나는 오늘 반 친구들과 양로원을 방문했다. (visit, a nursing home)

→ Today I ⬚ with my classmates.

06 그는 내년에 태권도를 배울 것이다. (be going to, learn)

→ He ⬚ *taegwondo* next year.

07 사람들은 영국에서 처음으로 우표를 사용했다. (use, stamps)

→ People ⬚ first in the UK. *UK 영국(United Kingdom)

📖 **비교하며 문장 쓰기**

표현
노트

061 그는 셔츠를 살 것이다. | He is going to buy a shirt.

그는 셔츠를 샀다.

be going to /
buy a shirt

062 그녀는 아픈 사람들을 도왔다.

그녀는 아픈 사람들을 돕는다.

help /
sick people

063 Mike는 고양이에게 먹이를 주었다.

Mike는 고양이에게 먹이를 줄 것이다.

will /
feed the cat

064 나는 다음 주에 한국을 방문할 것이다.

우리는 지난주에 한국을 방문했다.

be going to /
visit Korea

065 그것은 흥미로운 전시회이다.

그것은 흥미로운 전시회였다.

an interesting
show

066 그는 훌륭한 요리사가 되었다.

너는 훌륭한 요리사가 될 것이다.

will / become
a great cook

067 그녀는 매일 운동을 한다.

그녀는 올해 운동을 할 것이다.

will / exercise

068 그는 내년에 제네바로 돌아갈 것이다.

너는 내년에 제네바로 돌아갈 거니?

will /
go back to
Geneva

📝 **배열하여 문장 쓰기**

069 여행자들은 다양한 종류의 동물을 볼 것이다. (will, many kinds of, travelers, animals, see)

070 지구는 태양 주변을 돈다. (the sun, goes, Earth, around)

071 그녀는 화요일에 병원에 갈 것이다. (is, see, on Tuesday, she, a doctor, going to)

072 버스는 곧 올 것이다. (will, the bus, soon, come)

073 나는 태국에서 보낸 시간을 잊지 않을 것이다. (in Thailand, I, not, my time, will, forget)

074 나는 동물원에서 사막여우를 보았다. (saw, at the zoo, I, sand foxes)

075 우리는 다음 달에 학교 축제에서 공연할 것이다. (perform, next month, at the school festival, will)

We

[Self-Editing Checklist] ✓ 대·소문자를 바르게 썼나요? Ⓨ Ⓝ ✓ 철자와 문장 부호를 바르게 썼나요? Ⓨ Ⓝ

I am listening to the radio.

She is tying a horse to a tree.

He was running on the playground.

The kids were making sand castles.

동사의 -ing형 만드는 법		
대부분의 동사	동사원형 + -ing	go → going
-e로 끝나는 동사	e를 삭제하고 + -ing	make → making
-ie로 끝나는 동사	ie를 y로 고치고 + -ing	tie → tying
「단모음 + 단자음」으로 끝나는 동사	마지막 자음을 한 번 더 쓰고 + -ing	run → running

바로 개념

1 현재 진행형은 '~하고 있다, ~하는 중이다'의 의미로 「be동사 현재형(am, are, is) + 동사원형 + -ing」로 나타낸다.

2 과거 진행형은 '~하고 있었다, ~하는 중이었다'의 의미로 「be동사 과거형(was, were) + 동사원형 + -ing」로 나타낸다.

3 have, own처럼 소유를 나타내는 동사, like, want처럼 감정을 나타내는 동사, see, hear처럼 감각을 나타내는 동사, 그리고 know, understand처럼 상태를 나타내는 동사는 보통 진행형으로 쓰지 않는다. 단, have가 '먹다' 또는 '시간을 보내다'의 의미인 경우에는 진행형으로 쓸 수 있다.

✅ **고르며 개념 확인**

Answers p. 6

01 My grandmother is ○ danceing ○ dancing on the stage.

02 Two police officers were ○ sitting ○ siting on a bench.

03 A lot of seals are ○ lying ○ lieing on the beach.

04 I was ○ driveing ○ driving to the grocery store.

05 It is ○ getting ○ geting cold outside at night.

06 We were ○ having ○ haveing lunch at that time.

✏️ **쓰며 개념 정리**

07	swim	swimming	08	live	
09	arrive		10	die	
11	win		12	cut	
13	fly		14	move	
15	begin		16	cry	
17	drop		18	send	

개념 12 진행 시제 2

I am not lying **to you**.

They were not watching TV.

Are **you** studying **now?** – Yes, I am.

Was **Dave** walking **his dog?** – No, he wasn't.

긍정문	주어＋be동사＋동사원형＋-ing ~.
부정문	주어＋be동사＋not＋동사원형＋-ing ~.
의문문	be동사＋주어＋동사원형＋-ing ~? – Yes, 주어＋be동사. / No, 주어＋be동사＋not.

바로 개념

1 현재 시제는 현재의 상태, 습관, 일반적 사실 등을 나타낼 때 쓰고, 현재 진행 시제는 현재 진행 중인 동작을 강조할 때 쓴다.

2 **현재분사 vs. 동명사:** 「동사원형＋-ing」가 진행의 의미로 쓰이면 '현재분사'이고, '~하는 것'의 의미로 명사처럼 문장에서 주어, 목적어, 보어로 쓰이면 '동명사'이다. *동명사는 UNIT 6에서 확인

3 「be going to＋명사」는 진행 시제(~에 가고 있다)이고, 「be going to＋동사원형」은 미래 시제(~할 것이다)이다.

✔ 고르며 개념 확인

Answers p. 7

01 He ○ reads   ○ is reading   the newspaper every morning.

02 Is the woman ○ wear   ○ wearing   a dress? – Yes, she ○ does   ○ is   .

03 They weren't ○ standing   ○ stand   next to the Christmas tree.

04 I am ○ filling   ○ fill   the bottle with water.

05 ○ Was   ○ Did   his dog barking then? – No, it ○ wasn't   ○ didn't   .

06 Do you ○ want   ○ wanting   a ride to school? – Yes, I ○ am   ○ do   .

✎ 쓰며 개념 정리

07 그녀는 소설을 쓰는 중이다. (write) [   ] a novel.

08 그들은 고장 난 차를 미는 중이었다. (push) [   ] the broken car.

09 그는 일요일마다 캠핑을 간다. (go) [   ] camping on Sundays.

10 아야, 너는 지금 내 발가락을 밟고 있어. (step) Ouch, [   ] on my toe now.

11 나는 자정에 잠을 자고 있지 않았다. (sleep) [   ] at midnight.

12 그는 전화 통화 중이니? (talk) [   ] on the phone?

개념 11   진행 시제 1

1 현재 진행형은 '[   ], ~하는 중이다'의 의미로 「be동사 현재형(am, are, is)+동사원형+-ing」로 나타낸다.

2 과거 진행형은 '[   ], ~하는 중이었다'의 의미로 「be동사 과거형(was, were)+동사원형+-ing」로 나타낸다.

3 have, own처럼 [   ]를 나타내는 동사, like, want처럼 감정을 나타내는 동사, see, hear처럼 [   ]을 나타내는 동사, 그리고 know, understand처럼 상태를 나타내는 동사는 보통 진행형으로 쓰지 않는다. 단, [   ]가 '먹다' 또는 '시간을 보내다'의 의미인 경우에는 진행형으로 쓸 수 있다.

동사의 -ing형 만드는 법		
대부분의 동사	동사원형+-ing	go → [ ]
-e로 끝나는 동사	e를 삭제하고+-ing	make → [ ]
-ie로 끝나는 동사	ie를 [ ]로 고치고+-ing	tie → [ ]
「단모음+단자음」으로 끝나는 동사	마지막 [ ]을 한 번 더 쓰고+-ing	run → [ ]

개념 12   진행 시제 2

1 현재 시제는 현재의 상태, 습관, 일반적 사실 등을 나타낼 때 쓰고, 현재 진행 시제는 진행 중인 [   ]을 강조할 때 쓴다.

2 **현재분사** *vs.* **동명사**: 「동사원형+-ing」가 진행의 의미로 쓰이면 '[   ]'이고, '~하는 것'의 의미로 명사처럼 문장에서 주어, 목적어, 보어로 쓰이면 '[   ]'이다.   *동명사는 UNIT 6에서 확인

3 「be going to+[   ]」는 진행 시제(~에 가고 있다)이고, 「be going to+[   ]」은 미래 시제(~할 것이다)이다.

긍정문	주어+be동사+동사원형+-ing ~.	She is taking off her shoes now.
부정문	주어+be동사+not+동사원형+-ing ~.	She [ ] off her shoes now.
의문문	be동사+주어+동사원형+-ing ~? – Yes, 주어+be동사. / No, 주어+be동사+not.	[ ] off her shoes now? – Yes, she [ ]. / No, she [ ].

A 다음 밑줄 친 부분을 진행 시제로 고쳐 문장을 완성하시오. (단, 부정문은 줄임말로 쓸 것)

01 They <u>have</u> a good time in the jungle.

→ [_____] a good time in the jungle.

02 I <u>don't play</u> table tennis now.

→ [_____] table tennis now.

03 This park <u>gets</u> dirty these days.

→ [_____] dirty these days.

04 People <u>didn't expect</u> a home run.

→ [_____] a home run.

05 A police car <u>chased</u> a black van on the highway.

→ [_____] a black van on the highway.

B 다음 괄호 안에 주어진 말을 이용하여 대화를 완성하시오.

01 **A** [_____] the children [_____] their bikes then? (ride)

　 B Yes, [_____] were.

02 **A** Is your sister [_____] in first place? (run)

　 B Yes, [_____] [_____].

03 **A** [_____] he [_____] the living room an hour ago? (paint)

　 B No, he wasn't. He [_____] [_____]. (sleep)

04 **A** Were you and Julia [_____] homework together? (do)

　 B Yes, [_____] [_____].

05 **A** [_____] the monkeys [_____] from tree to tree? (jump)

　 B Yes, [_____] are.

06 **A** Are you [_____] a yoga class at the community center? (take)

　 B No, [_____] [_____]. I'm [_____] a cooking class.

📖 **비교하며 문장 쓰기**

076

나는 책을 읽고 있다.

I am reading a book.

나는 책을 읽고 있었다.

077

그는 연못 옆을 걸었다.

He walked by the pond.

그는 연못 옆을 걷고 있었다.

078

그들은 캐치볼 놀이를 했다.

They played catch.

그들은 캐치볼 놀이를 하고 있었다.

079

모든 일이 잘 되고 있다.

Everything is going well.

모든 일이 잘 되고 있니?

080

우리는 파티를 하고 있다.

We are having a party.

우리는 파티를 하는 중이 아니다.

081

그녀는 동물을 그리고 있었다.

She was drawing animals.

너는 동물을 그리고 있었니?

082

그들은 양손에 선물 가방을 들었다.

They carried a gift bag in each hand.

그들은 양손에 선물 가방을 들고 있었다.

083

Jane은 춤을 추니?

Does Jane dance?

Jane은 지금 춤을 추고 있니?

📑 **표현 이용하여 조건에 맞게 문장 쓰기**

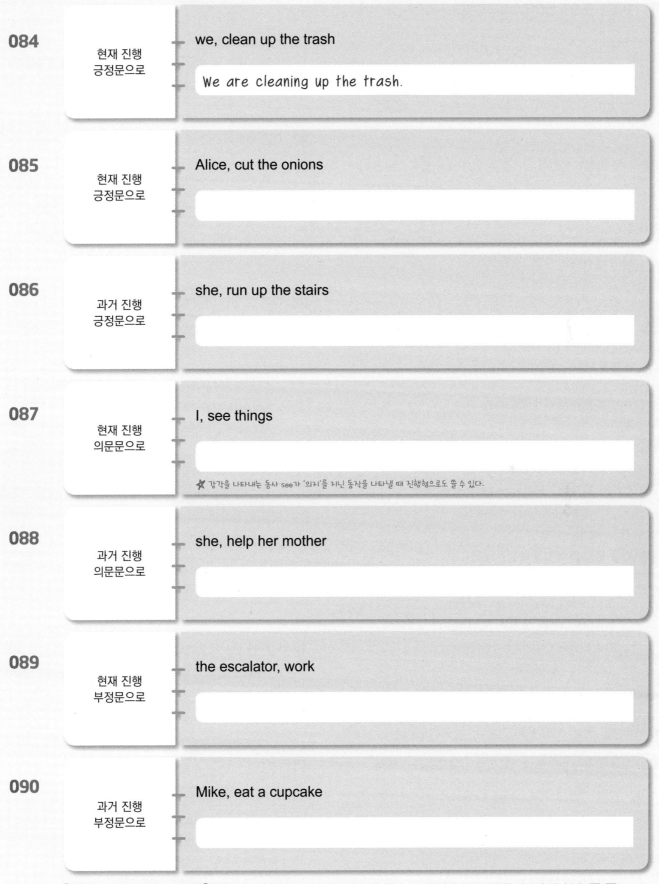

084

현재 진행
긍정문으로

we, clean up the trash

We are cleaning up the trash.

085

현재 진행
긍정문으로

Alice, cut the onions

086

과거 진행
긍정문으로

she, run up the stairs

087

현재 진행
의문문으로

I, see things

✎ 감각을 나타내는 동사 see가 '의지'를 지닌 동작을 나타낼 때 진행형으로도 쓸 수 있다.

088

과거 진행
의문문으로

she, help her mother

089

현재 진행
부정문으로

the escalator, work

090

과거 진행
부정문으로

Mike, eat a cupcake

[Self-Editing Checklist] ✅ 대·소문자를 바르게 썼나요? Ⓨ Ⓝ ✅ 철자와 문장 부호를 바르게 썼나요? Ⓨ Ⓝ

01 다음 두 문장의 빈칸에 공통으로 알맞은 것은?

> • I _____ not have dinner.
>
> • The bus _____ arrive in 10 minutes.

① am   ② was   ③ is   ④ will   ⑤ do

02 다음 문장의 빈칸에 들어갈 수 있는 것을 <u>모두</u> 고르면?

> Alice and I will travel to Italy _____.

① then   ② soon   ③ yesterday
④ this year   ⑤ last month

03 다음 질문에 대한 답으로 가장 알맞은 것은?

> Will Mike go to the rock festival tonight?

① No, he won't. He's busy.
② Yes, he will. He's busy.
③ No, he doesn't. He doesn't like it.
④ Yes, he does. He enjoys rock music.
⑤ No, he isn't. He's not interested in it.

04 다음 문장 중 어법상 <u>어색한</u> 것은?

① You will do well on the test.
② She won't buy the cell phone.
③ Will you move to L.A. next year?
④ The building work will begins soon.
⑤ It will be cloudy tomorrow.

05 다음 문장의 빈칸에 들어갈 말로 가장 알맞은 것은?

> I _____ Spanish next month.

① learn   ② learning
③ learned   ④ will to learn
⑤ am going to learn

06 다음 글의 밑줄 친 ①~⑤ 중, 어법상 <u>어색한</u> 것은?

> My aunt ① lives in Peru and my family ②
> is going to ③ visits her this summer vacation.
> We will ④ change planes twice and it will ⑤
> take about 16 hours. I'm so excited!

07 다음 대화의 빈칸에 알맞은 것은?

> **A** Are you going to watch TV?
>
> **B** _____ I'm going to study.

① Yes, I am.   ② No, I'm not.   ③ Yes, I do.
④ No, I won't.   ⑤ Yes, I will.

08 다음 중 빈칸 어디에도 들어갈 수 <u>없는</u> 것은?

> • I'm _____ to be a movie star.
>
> • It _____ be rainy this afternoon.
>
> • They will not _____ late again.
>
> • Are you going to _____ this shirt?

① buy   ② is   ③ be   ④ will   ⑤ going

09 다음 중 동사의 -ing형이 <u>잘못된</u> 것은?

① cut — cutting   ② write — writing
③ fly — flying   ④ die — dying
⑤ plan — planing

10 다음 중 동사의 -ing형을 만드는 법이 나머지와 <u>다른</u> 것은?

① wait   ② ski   ③ try
④ help   ⑤ hide

11 다음 중 밑줄 친 부분이 어법상 <u>어색한</u> 것은?

① My mom is watering the plants now.
② The boys were playing table tennis.
③ Jake is having a lot of toy cars.
④ A dog was lying on the floor.
⑤ She is replying to several emails.

12 다음 문장을 현재 진행형으로 바르게 바꾼 것은?

> Does Chris bake cookies?

① Is Chris bake cookies?
② Was Chris bake cookies?
③ Is Chris baking cookies?
④ Does Chris baking cookies?
⑤ Is Chris going to bake cookies?

13 다음 문장 중 어법상 옳은 것을 <u>모두</u> 고르면?

① Emma were sitting in the front row.
② He was working in his office now.
③ Were you standing next to the door?
④ I was taking a shower after exercising.
⑤ The students wasn't paying attention to me.

14 다음 대화의 빈칸에 들어갈 말을 바르게 짝지은 것은?

> **A** Was the girl _____ a kite?
> **B** Yes, _____.

① making — she is
② make — she is
③ making — she did
④ make — she does
⑤ making — she was

대표유형 05　현재분사와 동명사의 구별

15 다음 중 밑줄 친 부분의 쓰임이 나머지 넷과 <u>다른</u> 것은?

① I was <u>wearing</u> a hat.
② He is <u>eating</u> a sandwich.
③ She likes <u>listening</u> to music.
④ They were <u>playing</u> cricket.
⑤ We are <u>doing</u> a project about Dokdo.

16 다음 중 밑줄 친 부분의 쓰임이 〈보기〉와 같은 것은?

> 보기　My cat is <u>sleeping</u> on the sofa.

① My hobby is <u>drawing</u> cartoons.
② <u>Playing</u> the drums is really exciting.
③ Is your brother good at <u>dancing</u>?
④ Julia enjoys <u>taking</u> pictures of flowers.
⑤ Are your parents <u>cooking</u> in the kitchen?

대표유형 06　통합형

17 다음 빈칸에 들어갈 말을 순서대로 바르게 짝지은 것은?

> • Water _____ at 100°C.
> • Da Vinci _____ the *Mona Lisa*.
> • Bora will _____ abroad soon.

① boil — paints — study
② boils — painted — study
③ boils — paints — studies
④ boiled — painted — studies
⑤ boiled — paint — studying

18 다음 우리말을 영어로 바르게 나타낸 것은?

> 너는 별을 보고 있니?

① Did you look at the stars?
② Will you look at the stars?
③ Are you looking at the stars?
④ Were you looking at the stars?
⑤ Are you going to look at the stars?

19 다음 문장 중 어법상 옳은 것끼리 묶은 것은?

> ⓐ Mia call her parents once a week.
> ⓑ We were waiting for a taxi then.
> ⓒ He reads a fashion magazine yesterday.
> ⓓ Did Bill starts his business in 2015?
> ⓔ I'm looking for a parking lot now.
> ⓕ I won't lie to my parents.

① ⓐ, ⓔ, ⓕ
② ⓑ, ⓒ, ⓓ
③ ⓑ, ⓔ, ⓕ
④ ⓒ, ⓓ, ⓔ
⑤ ⓐ, ⓓ, ⓕ

20 다음 중 밑줄 친 부분의 쓰임이 나머지 넷과 <u>다른</u> 것은?

① We <u>are going to</u> a ballpark after school.
② He <u>is going to</u> enter the singing contest.
③ Ed and I <u>are going to</u> be in the parade.
④ Jin <u>is going to</u> visit the science museum.
⑤ I <u>am going to</u> go to a ski camp.

Correct
or
Incorrect?

		CORRECT	INCORRECT
바로 개념 확인	1 습관이나 반복되는 일을 나타낼 때는 현재 시제를 쓴다.	○	○
	2 미래 시제는 will 또는 be going to로 나타낼 수 있다.	○	○
	3 진행 시제는 「be동사＋동사원형」의 형태로 나타낸다.	○	○
	4 have가 '먹다'의 의미일 때는 진행형으로 쓸 수 없다.	○	○

		CORRECT	INCORRECT
바로 문장 확인	5 Julia always eats lunch at noon.	○	○
	6 Alexander Graham Bell invents the telephone.	○	○
	7 We are going to go hiking this weekend.	○	○
	8 Do you waiting for a bus?	○	○
	9 I am having a lot of friends at school.	○	○

Answers p. 8

- 조동사는 동사의 기본 의미에 가능, 미래, 추측, 의무 등　☺　☹
  의 뜻을 더하는 동사이다.
- 조동사는 주어의 인칭이나 수에 따라 형태가 변하지　☺　☹
  않는다.
- 조동사 다음에는 항상 동사원형을 쓴다.　　　　　☺　☹

개념 13 can / may / will

I <u>can</u> skate well. 〈능력〉
= am able to

The news <u>may</u> not be true. 〈추측〉

<u>Can</u> I come in?
= May

— Yes, you <u>can</u>. 〈허가〉 / No, you <u>can't</u>. 〈불허〉
= may   = may not

It <u>will</u> rain soon. 〈미래 예측〉
= is going to

조동사	용법	의미	부정형
can	능력·가능	~할 수 있다 (= be able to)	cannot [can't]
	허가	~해도 좋다 (= may)	
	요청	~해 주시겠어요?	
may	허가	~해도 좋다	may not (축약형 없음)
	추측	~일지도 모른다	
will	미래 예측	~일[할] 것이다 (= be going to)	will not [won't]
	주어의 의지	~하겠다	
	요청	~해 주시겠어요?	

바로 개념

1 조동사는 주어의 인칭이나 수에 따라 형태가 변하지 않으며, 뒤에는 항상 동사원형이 온다.

2 조동사의 부정문은 「조동사 + not + 동사원형」이고, 의문문은 「조동사 + 주어 + 동사원형 ~?」의 형태이다.

3 「조동사 + 조동사」의 형태로 쓸 수 없으므로, will can이나 may can으로 쓰지 않고 will be able to나 may be able to로 쓴다.

✓ 고르며 개념 확인

Answers p. 8

01   Monica ○ can   ○ cans   run fast.

02   Your grandma will ○ get   ○ gets   better soon.

03   Horses ○ don't can   ○ cannot   see right in front of their noses.

04   My dad will ○ can   ○ be able to   fix my computer.

05   May I go to the concert? — No, you ○ may not   ○ mayn't   .

06   ○ Is   ○ Are   Judy and Tim able to solve this puzzle?

✎ 쓰며 개념 정리

07   나는 바이올린을 연주할 수 있다.   I [   ] [   ] the violin.

08   그는 노래를 잘 부르지 못한다.   He [   ] [   ] well.

09   내일은 흐릴지도 모른다.   It [   ] [   ] cloudy tomorrow.

10   우리는 외식을 하지 않을 것이다.   We [   ] [   ] [   ] [   ] eat out.

11   제가 도와드릴까요?   [   ] [   ] help you?

12   너는 중국어를 말할 수 있니?   Are you [   ] [   ] [   ] Chinese?

must / have to / should

We <u>must</u> do our best. 〈의무〉
= have to

You <u>must not</u> say anything. 〈금지〉
~해서는 안 된다

It <u>must not</u> be true. 〈강한 부정의 추측〉
~일 리가 없다 (= cannot be)

Should I take my umbrella?

— No, you don't have to.
부정의 대답으로 '불필요'를 나타내는 don't have to를 이용할 수 있음

조동사	용법	의미	부정형	
must	필요·의무	~해야 한다 (= have to)	강한 금지	must not [mustn't]
			불필요	don't have to
	강한 추측	~임이 틀림없다	부정 추측	must not (= cannot)
should	의무·충고·제안	~해야 한다	should not [shouldn't]	

바로 개념

1 must는 강한 의무를 나타내는 반면, should는 그보다 약한 강도의 의무, 충고, 제안의 의미를 나타낸다.

2 '~해야 한다'는 의무를 나타내는 have to의 부정형인 don't have to는 '~할 필요가 없다'는 의미로 금지를 나타내는 must not 과 의미가 다르다.

3 must의 미래형은 will have to이고, 과거형은 had to이다.

✅ **고르며 개념 확인**

Answers p. 8

01 All passengers ○ must ○ has to wear seat belts.

02 You ○ aren't must ○ must not make noise in the library.

03 We ○ shouldn't ○ don't should feed the animals in the zoo.

04 Students ○ must not ○ don't have to go to school because it's Sunday.

05 Andy ○ shoulds ○ should see a dentist today.

06 ○ Does ○ Is Amy ○ has to ○ have to hand in her homework by Monday?

✏️ **쓰며 개념 정리**

07 우리는 녹색 표시등을 기다려야 한다. (강한 의무) We ☐ ☐ for a green light.

08 우리는 수영장 근처에서 뛰면 안 된다. (금지) We ☐ ☐ ☐ near the pool.

09 너는 숙제를 먼저 끝내야 한다. (충고) You ☐ ☐ your homework first.

10 그녀는 지금 배가 고플 리가 없다. (추측) She ☐ ☐ hungry now.

11 내 남동생은 그의 방을 청소해야 한다. (의무) My brother ☐ ☐ ☐ his room.

12 Tim은 일찍 일어날 필요가 없다. (불필요) Tim ☐ ☐ ☐ wake up early.

개념 13   can / may / will

1   조동사는 주어의 인칭이나 수에 따라 형태가 변하지 않으며, 뒤에는 항상 [   ]이 온다.

2   조동사의 부정문은 「조동사 + [   ] + 동사원형」이고, 의문문은 「조동사 + 주어+동사원형 ~?」의 형태이다.

3   「조동사+조동사」의 형태로 쓸 수 없으므로, will can이나 may can으로 쓰지 않고 [   ]나 may be able to로 쓴다.

조동사	용법	의미	부정형
can	능력·가능	~할 수 있다(= [ ])	[ ] [can't]
	[ ]	~해도 좋다(= [ ])	
	[ ]	~해 주시겠어요?	
may	허가	~해도 좋다	[ ] (축약형 없음)
	추측	[ ]	
will	미래 예측	~일[할] 것이다 (= [ ])	will not [[ ]]
	[ ]	~하겠다	
	요청	~해 주시겠어요?	

개념 14   must / have to / should

1   [   ]는 강한 의무를 나타내는 반면, [   ]는 그보다 약한 강도의 의무, 충고, 제안의 의미를 나타낸다.

2   '~해야 한다'는 의무를 나타내는 have to의 부정형인 don't have to는 '[   ]'는 의미로 금지를 나타내는 must not과 의미가 다르다.

3   must의 미래형은 will have to이고, 과거형은 had to이다.

조동사	용법	의미	부정형	
must	필요·의무	~해야 한다 (= [ ])	강한 금지	must not [mustn't]
			불필요	don't have to
	강한 추측	~임이 틀림없다	부정 추측	must not (= [ ])
should	의무·충고·제안	[ ]		should not [shouldn't]

A 다음 문장에서 밑줄 친 부분을 어법에 맞게 고치시오.

01 A chameleon <u>cans change</u> colors.

02 People <u>must stopping</u> global warming.

03 I <u>not can</u> understand sign language.

04 Eugene and Mike <u>will are</u> late for the meeting.

05 You <u>must don't</u> touch the paintings.

06 It <u>may be snow</u> a lot tonight.

07 <u>Does</u> she able to play the guitar?

08 You <u>should honest</u> with each other.

B 다음 문장을 각각 부정문과 의문문으로 바꿔 쓰시오.

01 He can speak German.

부정문 ➜

의문문 ➜

02 She must take this medicine.

부정문 ➜

의문문 ➜

03 Sarah will go to the gym after school.

부정문 ➜

의문문 ➜

04 Drivers should park here.

부정문 ➜

의문문 ➜

05 Nick has to return the book by next Monday.

부정문 ➜

의문문 ➜

📖 비교하며 문장 쓰기

표현
노트

091
나는 춤을 출 수 있다.

I can dance.

나는 배드민턴을 칠 수 없다.

can,
badminton

092
그녀는 그림을 잘 그릴 수 있다.

She can draw well.

Ted는 그림을 잘 그릴 수 있니?

be able to

093
너는 멈춰야만 한다.

You must stop.

너는 여기 들어가서는 안 된다.

must, enter, here

094
우리는 그들의 사진을 찍어야 한다.

We should take pictures of them.

너는 여기서 사진을 찍으면 안 된다.

should, here

095
우리는 저녁을 먹을 것이다.

We will have dinner.

그는 저녁을 먹지 않을 것이다.

will

096
너는 제시간에 와야 한다.

You should be on time.

너는 수업에 늦어서는 안 된다.

should,
be late for class

097
나는 내일 학교에 가야 한다.

I have to go to school tomorrow.

우리는 내일 학교에 갈 필요가 없다.

have to

098
개는 파란색을 볼 수 있다.

Dogs can see blue.

개는 빨간색을 볼 수 없다.

can, red

📖 **배열하여 문장 쓰기**

099 나는 내 이름을 중국어로 쓸 수 있다. (write, in Chinese characters, I, my name, can)

100 사람과 식물은 이 더운 곳에서 살 수 없다. (live, people and plants, in this hot place, cannot)

101 우리는 하늘을 여행할 수 있을까? (the air, travel, we, through, can)

102 너는 수영장에서 수영모를 써야 한다. (a swimming cap, you, wear, in the swimming pool, should)

103 너는 휴대전화를 꺼야 한다. (turn off, must, your cell phone, you)

104 사람들은 학교 근처에서는 과속을 하면 안 된다. (drive, near schools, not, people, should, fast)

105 우리는 부모님께 감사하다고 말해야 한다. (to our parents, we, say, have to, thanks)

[Self-Editing Checklist] ✓ 대・소문자를 바르게 썼나요? Y N ✓ 철자와 문장 부호를 바르게 썼나요? Y N

01 다음 문장의 빈칸에 들어갈 말로 알맞은 것은?

> I _____ swim. I'm afraid of water.

① can　　② may　　③ can't
④ should　　⑤ don't have to

02 다음 문장의 밑줄 친 부분과 바꿔 쓸 수 있는 것은?

> Can I try on this shirt?

① Do　　② Must　　③ Should
④ May　　⑤ Will

03 다음 두 문장의 뜻이 같도록 할 때 빈칸에 알맞은 것은?

> We are going to have a bake sale.
> = We _____ have a bake sale.

① will　② must　③ should　④ may　⑤ can

04 다음 중 밑줄 친 부분의 쓰임이 나머지 넷과 다른 것은?

① May I taste this apple pie?
② You may get some rest now.
③ You may not bring your dog.
④ She may be busy these days.
⑤ May I have your phone number?

05 다음 문장의 빈칸에 들어갈 수 없는 것은?

> Peter is going to go to a science camp _____.

① soon
② tomorrow
③ this weekend
④ next month
⑤ last Sunday

06 다음 문장 중 어법상 알맞은 것은?

① She can plays the cello.
② It won't raining tomorrow.
③ You may don't take off your shoes.
④ Can we really world champions someday?
⑤ Are Mike and Sally going to visit Seoul?

07 다음 중 밑줄 친 부분의 쓰임이 나머지 넷과 다른 것은?

① I can ski very well.
② Samantha can write a poem.
③ You can stay in my room today.
④ Spiders can climb a wall.
⑤ My brother can cook spaghetti.

08 다음 빈칸에 공통으로 들어갈 말로 알맞은 것은?

> • We _____ protect the Earth.
> • Kelly doesn't look good. She _____ be sick.

① must　　② should　　③ going to
④ will　　⑤ be able to

09 다음 두 문장의 뜻이 같도록 할 때 빈칸에 알맞은 것은?

> All the players must wear white.
> = All the players _____ white.

① have to wear　　② has to wears
③ have to wearing　　④ be able to wear
⑤ are able to wear

10 다음 문장의 빈칸에 들어갈 수 없는 것은?

> You should _____.

① recycle things
② get enough sleep
③ not eat snacks at night
④ pay attention in class
⑤ kind to your friends

11 다음 표지판을 가장 바르게 나타낸 것은?

① You may throw away trash.
② You must not throw away trash.
③ You should throw away trash.
④ You will throw away trash.
⑤ You don't have to throw away trash.

12 다음 중 밑줄 친 부분의 쓰임이 나머지 넷과 <u>다른</u> 것은?

① Students <u>must</u> be on time for class.

② Dorothy <u>must</u> be a clever girl.

③ You <u>must</u> do your best in everything.

④ People <u>must</u> stand in line at a bus stop.

⑤ We <u>must</u> not eat in the museum.

13 다음 우리말을 영어로 바르게 나타낸 것은?

> 너는 나를 기다릴 필요가 없다.

① You can't wait for me.

② You must not wait for me.

③ You won't wait for me.

④ You should not wait for me.

⑤ You don't have to wait for me.

14 다음 중 어법상 옳은 문장의 개수로 알맞은 것은?

> ⓐ You should be careful.
> ⓑ We must not waste water.
> ⓒ Ben has to study for the test yesterday.
> ⓓ Does she have to pay for the window?

① 1개　② 2개　③ 3개　④ 4개　⑤ 없음

대표유형 03　조동사의 의문문과 응답

15 다음 대화의 빈칸에 들어갈 말로 알맞은 것은?

> **A** Will you go to the library by bus?
> **B** _____ I'll take the subway.

① Yes, I will.　② Yes, I do.　③ No, I won't.

④ No, I'm not.　⑤ No, I don't.

16 다음 대화의 빈칸에 들어갈 말로 알맞은 것은?

> **A** Can Jack sing well?
> **B** _____ He's good at singing.

① Yes, he can.　② Yes, he does.　③ Yes, he can't.

④ No, he can.　⑤ No, he can't.

17 다음 대화의 빈칸에 들어갈 말로 알맞은 것은?

> **A** Should I finish this by tomorrow?
> **B** _____ You can turn it in by next Monday.

① Yes, you do.　　　② Yes, you should.

③ No, I shouldn't.　　④ No, I'm not.

⑤ No, you don't have to.

대표유형 04　조동사 평서문 → 부정문 / 의문문, 시제 전환

18 다음 문장을 지시대로 바꿀 때 빈칸에 알맞은 것은?

> Ted has to water the flowers. (부정문으로)
> → Ted _____ water the flowers.

① has not to　　　② don't have to

③ does haven't to　④ doesn't have to

⑤ doesn't has to

19 다음 문장을 지시대로 바르게 바꾼 것은?

> We can fix the bike.
> (be able to를 이용한 부정문으로)

① We are not able to fix the bike.

② We are not able to fixing the bike.

③ We don't are able to fix the bike.

④ We not are able to fix the bike.

⑤ We are able to not fixes the bike.

20 다음 문장을 지시대로 바꾼 것 중 <u>어색한</u> 것은?

① I have to go home early. (주어를 He로)

　→ He has to go home early.

② You should tell the truth. (부정문으로)

　→ You shouldn't tell the truth.

③ She is going to read the book. (의문문으로)

　→ Is she going to read the book?

④ I have to wash the dishes. (과거 시제로)

　→ I had to wash the dishes.

⑤ You can see many animals. (미래 시제로)

　→ You will can see many animals.

Correct
or
Incorrect

바로 개념 확인		CORRECT	INCORRECT
1	조동사는 주어의 인칭과 수에 따라 형태가 다르다.	○	○
2	조동사 뒤에는 항상 동사원형을 쓴다.	○	○
3	can이 '~할 수 있다'의 의미일 때 may와 바꿔 쓸 수 있다.	○	○
4	must not과 don't have to는 강한 금지를 나타낸다.	○	○

바로 문장 확인		CORRECT	INCORRECT
5	Lucy can ride a bike well.	○	○
6	Students must quiet in the library.	○	○
7	Doran won't join the band.	○	○
8	You don't have to be perfect.	○	○
9	You shouldn't eat too much fast food.	○	○

Answers p. 9

UNIT 05

명사와 대명사

핵심 개념 바로 확인　　　　　I know! ☺　No idea! ☹

- 명사는 사물, 사람, 개념 등의 이름을 나타내는 말이다.　☺　☹
- 대명사는 주로 명사의 반복을 피하기 위해 명사 대신　☺　☹
  쓰는 말이다.

I have a **cat**.
└ 부정 관사 a는 셀 수 있는 단수명사 앞에 씀

I have two **cats**.
└ 셀 수 있는 명사가 두 개 이상일 때 복수형을 사용

Put the **potatoes** in the bowl.

She wants a glass of water.
water는 셀 수 없는 명사

I'll buy three bottles of juice.
단위명사를 복수 형태로 표현함

셀 수 있는 명사의 복수형 만드는 법		
대부분의 명사	-s	book – books
-(s)s, -x, -sh, -ch, -o로 끝나는 명사	-es	bus – buses, box – boxes 예외) photos, pianos
-f(e)로 끝나는 명사	f(e) → -ves	leaf – leaves, knife – knives 예외) roofs, safes
「자음＋y」로 끝나는 명사	y → -ies	baby – babies
불규칙 변화하는 명사		mouse – mice, tooth – teeth, man – men, child – children, ox – oxen
단·복수 형태가 같은 명사		fish, sheep, deer

바로 개념

1 셀 수 있는 명사는 복수형이 있고, 관사 a(n), the를 쓴다. 주로 명사 뒤에 -(e)s를 붙여 복수형을 만든다.

2 셀 수 없는 명사는 복수형이 없으므로 단수 취급하고, 앞에 부정 관사 a나 an을 붙일 수 없다.

3 셀 수 없는 명사의 수량 표현은 측정하는 단위나 담는 용기를 이용하고, 복수일 때는 단위/용기 명사를 복수형으로 쓴다.

✅ **고르며 개념 확인**　　　　　Answers p. 9

01 I need three ○ egg　　○ eggs .

02 The ○ leafes　　○ leaves turn red and yellow in fall.

03 We saw several ○ mice　　○ mouses in the restaurant.

04 Would you like a ○ glass　　○ piece of cheese?

05 We ordered five cups of ○ coffee　　○ coffees .

***06** I bought a ○ pair　　○ sheet of shorts.

★ 항상 쌍을 이루는 명사
socks, scissors, jeans, shorts, chopsticks는 a pair of와 함께 쓴다.

✏️ **쓰며 개념 정리**

07 나는 금요일마다 다섯 개의 수업이 있다. (class)　　I have five ☐ on Fridays.

08 Cathy는 많은 도시들로 여행을 갔다. (city)　　Cathy traveled to many ☐.

09 동물원에서 늑대 세 마리가 탈출했다. (wolf)　　Three ☐ escaped from the zoo.

10 하루에 세 번 이를 닦아야 해. (tooth)　　You should brush your ☐ three times a day.

11 그는 우유 한 잔을 마셨다. (milk)　　He drank ☐.

12 우리는 양말 두 켤레가 필요하다. (socks)　　We need ☐.

We **make funny faces in** our **selfies.**

He **baked some cookies.** They **are for** you.

This **bag is** <u>mine</u>. **That one is** <u>yours</u>.
나의 것   너의 것

I **looked at** <u>myself</u> **in the mirror.**

인칭		주격 (~은[는], ~이[가])	목적격 (~을[를], ~에게)	소유격 (~의)	소유대명사 (~의 것)	재귀대명사 (~ 자신)
1	단수	I	me	my	mine	myself
	복수	we	us	our	ours	ourselves
2	단수	you	you	your	yours	yourself
	복수					yourselves
3	단수	he	him	his	his	himself
		she	her	her	hers	herself
		it	it	its	-	itself
	복수	they	them	their	theirs	themselves

바로 개념

1 인칭대명사가 주어 역할을 할 때는 주격, 동사 또는 전치사의 목적어 역할을 할 때는 목적격, 명사 앞에서 소유 관계를 나타낼 때는 소유격을 쓴다.

2 소유대명사는 「소유격＋명사」의 역할을 하고 '~의 것'이라고 해석한다. 「명사's」의 형태로 소유를 나타내기도 한다.

3 재귀대명사는 문장의 주어와 목적어가 동일한 인물일 때 동사나 전치사의 목적어로 사용된다.

✓ 고르며 개념 확인

Answers p. 9

*01   Our teacher, Ms. Lee, invited ○ us   ○ our   to the party.

★ 명사의 동격
두 개의 명사가 콤마(,)로 연결되어 있을 때 뒤에 있는 명사가 앞에 있는 명사를 보충 설명한다.

02   Look at the bird. ○ It's   ○ Its   wings are wet.

03   The red car over there is ○ her   ○ hers .

04   Ben and Tim are twins. ○ Their   ○ Theirs   faces look the same.

05   Is this backpack ○ your   ○ yours   or ○ Mike   ○ Mike's ?

06   Eric introduced ○ herself   ○ himself   to ○ his   ○ him   classmates.

✎ 쓰며 개념 정리

07   그녀의 목소리는 훌륭하다.   [   ] voice is wonderful.

08   그는 나에게 그 자신에 대해 얘기했다.   He talked to [   ] about [   ].

09   이 시계는 내 것이 아니다. 내 여동생의 것이다.   This watch is not [   ]. It's my [   ].

10   우리 고양이는 흰색이고, 그들의 것은 검은색이다.   [   ] cat is white, and [   ] is black.

11   나는 계단에서 넘어져서 다쳤다.   I fell down the stairs and hurt [   ].

*12   Kevin과 Julia는 문 뒤에 숨었다.   Kevin and Julia hid [   ] behind the door.
★ Kevin and Julia → they를 의미

개념 15 　명사

1 셀 수 있는 명사는 복수형이 있고, 관사 ☐ , the를 쓴다. 주로 명사 뒤에 -(e)s를 붙여 복수형을 만든다.

2 셀 수 없는 명사는 복수형이 없으므로 ☐ 취급하고, 앞에 부정 관사 a나 an을 붙일 수 없다.

3 셀 수 없는 명사의 수량 표현은 측정하는 단위나 담는 용기를 이용하고, 복수일 때는 단위/용기 명사를 ☐

으로 쓴다. (a cup of coffee[tea], a glass[bottle] of milk, a slice of cheese, a piece of cake, a sheet of

paper, a loaf of bread)

셀 수 있는 명사의 복수형 만드는 법		
대부분의 명사	-s	book – books
-(s)s, -x, -sh, -ch, -o로 끝나는 명사	☐	bus – ☐ , box – ☐ 　예외) photos, pianos
-f(e)로 끝나는 명사	f(e) → ☐	leaf – ☐ , knife – ☐ 　예외) roofs, safes
「자음＋y」로 끝나는 명사	y → -ies	baby – babies
불규칙 변화하는 명사	mouse – ☐ , tooth – ☐ , man – ☐ , child – ☐ , ox – oxen
단·복수 형태가 같은 명사	fish, sheep, deer	

개념 16 　인칭대명사

1 인칭대명사가 주어 역할을 할 때는 주격, 동사 또는 전치사의 목적어 역할을 할 때는 ☐ , 명사 앞에서

소유 관계를 나타낼 때는 ☐ 을 쓴다.

2 소유대명사는 「소유격＋명사」의 역할을 하고 '~의 것'이라고 해석한다. 「명사's」의 형태로 소유를 나타내기도 한다.

3 재귀대명사는 문장의 ☐ 와 ☐ 가 동일한 인물일 때 동사나 전치사의 목적어로 사용된다.

인칭		주격(~은[는], ~이[가])	목적격(~을[를], ~에게)	소유격(~의)	소유대명사(~의 것)	재귀대명사(~ 자신)
1	단수	I				
	복수	we				
2	단수	you				
	복수					
3	단수	he				
		she				
		it			-	
	복수	they				

A 다음 명사의 복수형을 쓰시오.

01 hero _____   02 mystery _____

03 toy _____   04 sandwich _____

05 lady _____   06 kangaroo _____

07 island _____   08 planet _____

09 sheep _____   10 strawberry _____

11 goose _____   12 holiday _____

13 radio _____   14 degree _____

15 child _____   16 glass _____

17 cookie _____   18 scarf _____

19 dish _____   20 church _____

21 wife _____   22 tax _____

23 quiz _____   24 gentleman _____

B 다음 문장에서 밑줄 친 부분을 어법에 맞게 고치시오.

01 The birds are feeding <u>they</u> babies. _____

02 I have a brother. <u>He's</u> nickname is "Little Ronaldo." _____

03 Are these gloves <u>your</u>? — No, they're Danny's. _____

04 They took pictures of <u>theyself</u>. _____

05 Let me introduce <u>me</u>. My name is Jiho. _____

06 I don't like my uniform. <u>It's</u> color is too dark. _____

07 My dad bought me a <u>sheet</u> of jeans. _____

08 Olivia always makes <u>she</u> own lunch. _____

09 I ate three <u>piece</u> of pizza last night. _____

10 Beth and I enjoyed <u>myself</u> at the concert. _____

★ I가 포함된 복수 주어는 we를 의미

📑 비교하며 문장 쓰기

106

나는 꽃 한 송이의 사진을 찍었다.

I took a picture of a flower.

나는 꽃들의 사진들을 찍었다.

107

나는 닭이 한 마리 있다.

I have a chicken.

나는 다섯 마리의 닭이 있다.

108

나는 모자를 찾고 있다.

I'm looking for a cap.

나는 청바지(jeans) 한 벌을 찾고 있다.

109

나는 우유 한 잔이 필요하다.

I need a glass of milk.

나는 우유 두 잔이 필요하다.

110

그녀의 별명은 Brainbox이다.

Her nickname is Brainbox.

그의 별명은 Big Bear이다.

111

내 피부는 예민하다.

My skin is sensitive.

그들의 피부는 예민하다.

112

나의 이야기는 단지 나만의 것이 아니다.

My story is not just mine.

우리의 정원은 단지 우리의 것만이 아니다.

113

나는 오늘 학급에 내 자신을 소개했다.

I introduced myself to the class today.

그는 오늘 학급에 자기 자신을 소개했다.

📖 **우리말에 맞게 문장 고쳐 쓰기**

114

나는 주스 한 잔과 샌드위치 한 개가 먹고 싶다.

I want to have a juice and sandwich.

115

나는 물에 비친 나를 볼 수 있다.

I can see me in the water.

116

포크로 빵 한 조각을 집어라.

Pick up a bottle of bread with fork.

117

그것의 이름은 지민이 될 것이다.

It's name will be Jimin.

118

해달은 해초로 자신들을 감싼다.

Sea otters wrap them in sea plants.

119

우리는 랩 노래들을 쓰고 그것들을 우리들의 블로그에 올린다.

We write rap song and post they on us blog.

120

그들은 그들의 적들로부터 쉽게 도망칠 수 있다.

They can easily run away from they enemys.

[Self-Editing Checklist] ✅ 대·소문자를 바르게 썼나요? Ⓨ Ⓝ   ✅ 철자와 문장 부호를 바르게 썼나요? Ⓨ Ⓝ

개념 17 비인칭 주어 it

시간	What time is it?	— It is seven o'clock.
날짜	What date is it today?	— It is November 1st.
요일	What day is it today?	— It is Wednesday.
날씨	How's the weather?	— It is cold and foggy.
계절	What season is it in Australia?	— It is summer now.
거리	How far is it?	— It is about five kilometers from here.
명암	Is it dark outside?	— No, it is bright.

바로 개념

1 시간, 날짜, 요일, 날씨, 계절, 거리, 명암 등을 나타낼 때 의미 없이 형식적으로 주어 자리에 비인칭 주어 it을 쓴다.

2 **비인칭 주어 it** *vs.* **지시 대명사 it**: 지시 대명사 it은 단수명사를 가리키는 대명사로 '그것'이라고 해석하는 반면, 비인칭 주어 it 은 '그것'이라고 해석하지 않는다.

 고르며 개념 확인

Answers p. 10

01 It is spring now. ○ 비인칭 주어 ○ 대명사

02 It is on the fifth floor. ○ 비인칭 주어 ○ 대명사

03 Will it snow tomorrow? ○ 비인칭 주어 ○ 대명사

04 It is a happy April Fools' Day. ○ 비인칭 주어 ○ 대명사

05 It's a birthday game from the U.K. ○ 비인칭 주어 ○ 대명사

06 It gets dark early in winter. ○ 비인칭 주어 ○ 대명사

✏ **쓰며 개념 정리**

07 **A** What time is it? (ten to five) **B** It is ten to five.

08 **A** What day is it? (Tuesday) **B**

09 **A** How's the weather today? (sunny) **B**

10 **A** What season is it in Seoul? (winter) **B**

11 **A** How far is it? (about 100 meters) **B**

12 **A** What date is it today? (April 5th) **B**

I don't have a pen. Can you lend me <u>one</u>?
(= a pen)

I lost <u>my pen</u>. Did you see <u>it</u>?
(= my pen)

I don't like red roses. Show me white <u>ones</u>.
(= roses)

<u>One</u> should keep <u>one</u>'s promise.
(= a person)

	부정 대명사 one	대명사 it
역할	앞에 언급된 것과 같은 종류의 불특정한 대상을 가리킴	앞에 나온 특정한 명사를 가리킴

바로 개념

1　부정 대명사는 가리키는 대상이 정해지지 않은 대명사로 막연한 대상을 가리킬 때 쓴다.
2　부정 대명사 one은 앞에 언급된 명사와 같은 종류의 불특정한 대상을 가리킬 때 사용하며, 복수형은 ones이다.
3　one은 인칭대명사로서 '일반인'을 의미하기도 한다. 이때, one은 you보다 더 격식 있는 표현이다.

✅ **고르며 개념 확인**

Answers p. 10

01　I lost my watch, so I will buy a new ○ it　○ one　.

02　I lost my watch last week, but I found ○ it　○ one　in the drawer.

03　He made a doll for me. I really love ○ it　○ one　.

04　This cell phone is too expensive. I'd like to buy a cheaper ○ it　○ one　.

05　I don't like this shirt. Will you show me a different ○ one　○ ones　?

06　These shoes are too small. Do you have bigger ○ one　○ ones　?

✏️ **쓰며 개념 정리**　밑줄 친 부분을 it, one, ones로 바꿔 쓰기

07　My sister bought me a cap, but I lost <u>the cap</u>.

08　Do you need an eraser? I have <u>an eraser</u>.

09　I'd like to see a movie. Would you recommend <u>a movie</u>?

10　I watched an action movie yesterday. I enjoyed <u>the movie</u>.

11　I'm looking for a hat. Could you show me <u>a hat</u>?

12　These sweaters are too old. Let's buy some new <u>sweaters</u>.

개념 **17** **비인칭 주어 it**

1 시간, 날짜, 요일, 날씨, 계절, 거리, 명암 등을 나타낼 때 의미 없이 형식적으로 [   ] 자리에 비인칭 주어 it 을 쓴다.

2 비인칭 주어 it *vs.* 지시 대명사 it: [   ] it은 단수명사를 가리키는 대명사로 '그것'이라고 해석하는 반면, [   ] it은 '그것'이라고 해석하지 않는다.

시간	What time is it?	— [ ] [ ]	seven o'clock.
날짜	What date is it today?	— [ ] [ ]	November 1st.
요일	What day is it today?	— [ ] [ ]	Wednesday.
날씨	How's the weather?	— [ ] [ ]	cold and foggy.
계절	What season is it in Australia?	— [ ] [ ]	summer now.
거리	How far is it?	— [ ] [ ]	about five kilometers from here.
명암	[ ] [ ] dark outside?	— No, it is bright.	

개념 **18** **부정 대명사 one**

1 부정 대명사는 가리키는 대상이 정해지지 않은 대명사로 막연한 대상을 가리킬 때 쓴다.

2 부정 대명사 one은 앞에 언급된 명사와 [   ] 종류의 불특정한 대상을 가리킬 때 사용하며, 복수형은 [   ] 이다.

3 one은 인칭대명사로서 '[   ]'을 의미하기도 한다. 이때, one은 you보다 더 격식 있는 표현이다.

	부정 대명사 one	대명사 it
역할	앞에 언급된 것과 같은 종류의 불특정한 대상을 가리킴	앞에 나온 특정한 명사를 가리킴
예	I'd like to read a book. Would you recommend [ ]?	I read a book last night. [ ] was boring.

A 다음 문장을 밑줄 친 부분에 유의하여 우리말로 해석하시오.

01 It is four thirty p.m.

→

02 Is it Thursday today?

→

03 It is a popular movie.

→

04 It is February second today.

→

05 It was very cold yesterday.

→

06 Is it far from here?

→

B 다음 대화의 빈칸에 it, one, ones 중 알맞은 것을 골라 쓰시오.

01 **A** Do you have a bike?

B No, but I'm going to buy   .

02 **A** I watched a baseball game yesterday.

B Was   exciting?

03 **A** These chopsticks are broken.

B I'll bring you new   .

04 **A** My brother gave me this jacket. He got a new   .

B   looks good on you.

05 **A** Do you like romantic movies?

B No, I don't. I like scary   .

06 **A** How many caps do you have?

B I have three caps: a red   and two black   .

📖 **배열하여 문장 쓰기**

121 아름답고 별이 총총한 밤이었다. (starry, night, lovely, it, a, was)

122 부산에는 눈이 많이 내리지 않는다. (very, snow, not, much, does, it)

in Busan.

123 오후 3시이다. (in the afternoon, is, 3, it, o'clock)

124 어제는 6월 8일이었다. (yesterday, was, June, it, 8th)

125 너는 거기 걸어갈 수 있어. 10분 정도 걸려. (there, you, about, it, minutes, walk, takes, ten, can)

✫ take: 시간이 ~ 걸리다

126 너는 어느 것이 가장 좋니? (do, best, which, you, like, one)

127 시원한 여름이 될 것이다. (will, a, summer, cool, be, it)

128 화창하지만 조금 춥다. (a little cold, sunny, is, but, it)

📖 **표현 이용하여 영작하기**

129 우리나라는 비가 많이 온다.

rain a lot, in my country

It rains a lot in my country.

130 아침 8시 30분이다.

8:30, in the morning

131 금요일이다.

Friday

132 그것은 나에게 새로운 맛이었다.

a new taste, for me

133 배낭이 두 개 있다. 나는 파란 것이 좋다.

backpack, like, the blue

There are

134 안데스 산맥의 높은 곳은 춥다.

cold, high up, in the Andes Mountains

135 긴 하루였다.

a long day

[Self-Editing Checklist] ✔ 대·소문자를 바르게 썼나요? Y N ✔ 철자와 문장 부호를 바르게 썼나요? Y N

01 다음 중 단어의 복수형이 잘못 연결된 것은?

① piano — pianos ② foot — feet

③ shelf — shelfes ④ ox — oxen

⑤ activity — activities

02 다음 빈칸에 들어갈 말로 알맞은 것을 모두 고르면?

There are many _____ in the park.

① trees ② woman ③ photographer

④ puppies ⑤ benchs

03 다음 문장의 빈칸에 들어갈 수 없는 것은?

Mike has three _____.

① children ② juice ③ candies

④ donkeys ⑤ tomatoes

04 다음 밑줄 친 부분 중 어법상 어색한 것은?

① She ate a loaf of bread.

② I need two bottles of water.

③ Would you like a cup of coffee?

④ Put a sheet of chopsticks in the pot.

⑤ David bought three pairs of black jeans.

05 다음 문장에서 어법상 어색한 곳을 찾아 바르게 고친 것은?

A mouse broke through the net with its sharp
toothes.

① A mouse → A mice ② broke → breaked

③ its → it's ④ sharp → sharply

⑤ toothes → teeth

06 다음 문장 중 어법상 알맞은 것은?

① Sue and I are good friend.

② Those men must be thiefs.

③ I bought five peaches at the market.

④ He posts his photoes on his blog.

⑤ They will run three factorys in China.

07 다음 빈칸에 들어갈 말이 바르게 짝지어진 것은?

• Mom was on _____ way to work.

• Tim and I are going to the movies. Why
don't you join _____?

① her – us ② she's – him ③ her – our

④ hers – them ⑤ she – theirs

08 다음 문장의 빈칸에 들어갈 수 없는 것은?

_____ eyes are shining brightly.

① Your ② Its ③ His

④ Them ⑤ Yuna's

09 다음 밑줄 친 부분 중 어법상 옳은 것은?

① Judy is the captain of us team.

② The jacket on the sofa is my cousin's.

③ This is Mira. Hers hobby is swimming.

④ Our kids are downstairs, and their are upstairs.

⑤ The baby elephant and it's mother are eating
oranges.

10 다음 우리말을 영어로 바르게 나타낸 것은?

그는 때때로 혼잣말을 한다.

① He sometimes talks to him.

② Him sometimes talks to his.

③ He sometimes talks to itself.

④ Himself sometimes talks to his.

⑤ He sometimes talks to himself.

11 다음 문장의 빈칸에 들어갈 말로 알맞은 것은?

I have two brothers. _____ names are Tony and Jay.

① Your ② Our ③ His
④ Their ⑤ Theirs

12 다음 중 밑줄 친 부분을 바꿔 쓴 것이 어색한 것은?

① My cap is blue. (→ Mine)
② The house with a blue roof is his house. (→ his)
③ Is that her cell phone? (→ her)
④ Look at the nice car. From now on, that's our car. (→ ours)
⑤ Can I use your umbrella? (→ yours)

13 다음 문장 중 어법상 어색한 것은?

① She is our favorite singer.
② Is he her English teacher?
③ They are Ms. Brown's neighbors.
④ Are these boots yours or him?
⑤ Esther and I were proud of ourselves.

대표유형 03 비인칭 주어 it의 쓰임

14 다음 중 밑줄 친 부분의 쓰임이 나머지 넷과 다른 것은?

① It was dark there.
② It is a bright idea.
③ What time is it?
④ It is winter now.
⑤ It was getting cooler outside.

15 다음 중 밑줄 친 부분의 쓰임이 〈보기〉와 같은 것은?

보기   It is already ten o'clock.

① It was Saturday morning.
② It tastes both sour and sweet.
③ Is it a traditional Korean mask?
④ It is climbing up the tree.
⑤ It is not mine.

16 다음 중 밑줄 친 부분의 쓰임이 나머지 넷과 다른 것은?

① It is August 10th today.
② It's very windy on Jeju Island.
③ It's surprising news to everyone.
④ What day is it today?
⑤ How far is it to the bank from here?

17 다음 우리말을 영어로 바르게 나타낸 것은?

작년에는 비가 많이 왔다.

① Raining it much last year.
② It was raining last year.
③ It rained a lot last year.
④ There rained much last year.
⑤ It was rain a lot last year.

대표유형 04 부정 대명사의 쓰임

18 다음 문장의 빈칸에 들어갈 말로 알맞은 것은?

Jake lost his cell phone, so he wants to buy a new _____.

① it ② that ③ this ④ one ⑤ ones

19 다음 문장의 밑줄 친 말과 바꿔 쓸 수 있는 것은?

I don't like black sneakers. I like pink sneakers.

① it ② them ③ their ④ one ⑤ ones

20 다음 중 빈칸에 들어갈 말이 나머지 넷과 다른 것은?

① I found this book under your desk. Is _____ yours?
② I'd like to read a fantasy novel. Would you recommend _____?
③ The bus was full, so we decided to catch a later _____.
④ My brother has a white bag and I have a red _____.
⑤ I'm looking for a bike for my daughter. Can you show me _____?

Correct
or ?
Incorrect

		CORRECT	INCORRECT
1	mouse와 tooth는 단수와 복수의 형태가 같다.	○	○
2	재귀대명사는 문장의 주어와 목적어가 동일한 인물일 때 동사의 목적어로 쓴다.	○	○
3	비인칭 주어 it은 시간, 날짜, 요일, 날씨 등을 나타낼 때 쓴다.	○	○
4	앞에 나온 특정한 명사를 가리킬 때 부정 대명사 one을 쓴다.	○	○

		CORRECT	INCORRECT
5	Ants, bees, and butterflies are insects.	○	○
6	The man bought two loafes of breads.	○	○
7	My sister drew herself.	○	○
8	That's getting really cold these days.	○	○
9	I don't have a glue stick. Can you lend me it?	○	○

Answers p. 11

UNIT 06

to부정사와 동명사

핵심 개념 바로 확인　　　　I know! ☺　No idea! ☹

● to부정사는 「to + 동사원형」의 형태로 문장 안에서 명사,　☺　☹
　형용사, 부사 역할을 한다.

● 동명사는 「동사원형 + -ing」의 형태로 명사 역할을 한다.　☺　☹

to부정사와 동명사

To travel abroad is exciting. ⟨주어⟩
= Traveling

My hobby is to read comic books. ⟨보어⟩
= reading

I want to be a chef. ⟨동사의 목적어⟩

I enjoy baking cookies. ⟨동사의 목적어⟩

Andy is good at dancing. ⟨전치사의 목적어⟩

	to부정사	동명사
형태	to + 동사원형	동사원형 + -ing
부정	not [never] + to부정사	not [never] + 동명사
역할	명사, 형용사, 부사	명사
의미	~하는 것, ~할, ~하기 위해서 등	~하는 것

★중요

to부정사를 목적어로 쓰는 동사	want, hope, plan, need, learn, decide, expect, agree, promise 등
동명사를 목적어로 쓰는 동사	enjoy, finish, keep, quit, mind, avoid, practice, recommend, stop, give up 등

바로 개념

1 to부정사는 문장에서 명사, 형용사, 부사 역할을 할 수 있는 반면, 동명사는 명사 역할만 할 수 있다.
2 to부정사와 동명사가 명사로 쓰여 문장의 주어, 목적어, 보어일 때는 서로 바꿔 쓸 수 있다. 단, 전치사의 목적어는 동명사만 쓸 수 있다.
3 **동명사** *vs.* **진행형**: 동명사가 be동사의 보어로 쓰이면 「be동사 + 동사원형 + -ing」가 되어 동사의 진행형과 같은 형태가 된다.
    be동사 뒤의 동명사는 '~하는 것이다'라는 뜻이고 진행형은 '~하는 중이다'라는 뜻으로 구별한다.

✓ 고르며 개념 확인

Answers p. 11

01 ○ Cook   ○ Cooking   is like an art.

02 ○ To watch   ○ To watching   a magic show is fun.

03 My father's job is ○ teaching   ○ teaches   math.

04 I hope ○ to see   ○ seeing   you soon.

05 Did you finish ○ to do   ○ doing   your homework?

06 Ted is interested in ○ to draw   ○ drawing   cartoons.

✎ 쓰며 개념 정리

07 혼자 수영하는 것은 위험할 수도 있다. (swim)
    [   ] alone can be dangerous.

08 그녀의 목표는 금메달을 따는 것이다. (win)
    Her goal is [   ] a gold medal.

*09 나는 계속해서 피아노 연습을 했다. (practice)
    ★ keep -ing: 계속 ~을 하다
    I kept [   ] the piano.

*10 우리는 스키를 타러 가려고 계획 중이다. (go)
    ★ plan to부정사: ~하는 것을 계획하다
    We're planning [   ] skiing.

*11 너는 자전거 타기를 즐기니? (ride)
    ★ enjoy -ing: ~하는 것을 즐기다
    Do you enjoy [   ] a bike?

12 내 생일 파티에 와 줘서 고마워. (come)
    Thanks for [   ] to my birthday party.

To eat breakfast is important. 〈명사 - 주어〉
to부정사(구) 주어는 단수 취급

→ It is important to eat breakfast.
가주어 　　　　　　　 진주어

Her dream is to be a firefighter. 〈명사 - 보어〉
'~이다, ~가 되다' 앞에 오는 말은 보어

I plan to visit Rome next year. 〈명사 - 동사의 목적어〉

주어 역할	to부정사(구)+동사 ~	~하는 것은
보어 역할	주어+be동사, seem 등+to부정사(구)	~하는 것(이다)
목적어 역할	주어+want, plan, decide 등+to부정사(구)	~하는 것을

바로개념

1 to부정사가 문장에서 명사처럼 문장의 주어, 보어, 목적어로 쓰이는 경우를 명사적 용법이라고 한다.
2 주어로 쓰인 to부정사(구)는 단수 취급하므로 단수 동사를 쓴다.
3 to부정사(구)가 주어일 때 여러 단어로 된 긴 주어를 뒤로 보내려는 성질이 있기 때문에 가짜 주어 it을 문장의 주어로 쓰고 진짜 주어인 to부정사(구)를 뒤로 보낸다. 이때, it은 해석하지 않는다.

✓ 고르며 개념 확인

Answers p. 11

01 My brother's hope is to become an actor.　○ 주어　○ 보어　○ 목적어

02 It is wrong to hurt animals.　○ 주어　○ 보어　○ 목적어

03 I want to clean my room first.　○ 주어　○ 보어　○ 목적어

04 My bad habit is to bite my nails.　○ 주어　○ 보어　○ 목적어

05 To take care of a dog is too much work.　○ 주어　○ 보어　○ 목적어

✏️ 쓰며 개념 정리

| 보기 | tell | know | travel | buy | imagine |

06 자기 자신을 아는 것은 쉽지 않다.　[　　　] oneself is not easy.

07 미래를 상상하는 것은 흥미진진하다.　It is exciting [　　　] the future.

08 나의 소원은 세계 여행을 하는 것이다.　My wish is [　　　] around the world.

09 그는 사실을 말하기로 결심했다.　He decided [　　　] the truth.

10 아빠는 내게 휴대전화를 사주기로 약속하셨다.　Dad promised [　　　] me a cell phone.

개념 19 to부정사와 동명사

1 to부정사는 문장에서 명사, 형용사, 부사 역할을 할 수 있는 반면, 동명사는 [   ] 역할만 할 수 있다.

2 to부정사와 동명사가 명사로 쓰여 문장의 주어, 목적어, 보어일 때는 서로 바꿔 쓸 수 있다. 단, 전치사의 목적어는 [   ] 만 쓸 수 있다.

3 **동명사** *vs.* **진행형**: 동명사가 be동사의 [   ] 로 쓰이면 「be동사 + 동사원형 + -ing」가 되어 동사의 진행형과 같은 형태가 된다. be동사 뒤의 동명사는 '~하는 것이다'라는 뜻이고 진행형은 '~하는 중이다'라는 뜻으로 구별한다.

	to부정사	동명사
형태	[ ] + 동사원형	동사원형 + [ ]
부정	not [never] + to부정사	not [never] + 동명사
역할	명사, 형용사, 부사	명사
의미	~하는 것, ~할, ~하기 위해서 등	~하는 것

[   ] 를 목적어로 쓰는 동사 want, hope, plan, need, learn, decide, expect, agree, promise 등

[   ] 를 목적어로 쓰는 동사 enjoy, finish, keep, quit, mind, avoid, practice, recommend, stop, give up 등

개념 20 to부정사의 명사적 용법

1 to부정사가 문장에서 명사처럼 문장의 주어, 보어, 목적어로 쓰이는 경우를 명사적 용법이라고 한다.

2 주어로 쓰인 to부정사(구)는 단수 취급하므로 [   ] 동사를 쓴다.

3 to부정사(구)가 주어일 때 여러 단어로 된 긴 주어를 뒤로 보내려는 성질이 있기 때문에 가짜 주어 [   ] 을 문장의 주어로 쓰고 진짜 주어인 to부정사(구)를 뒤로 보낸다. 이때, it은 해석하지 않는다.

주어 역할 (~하는 것은)	to부정사(구) + 동사 ~	To eat breakfast is important. → [ ] is important [ ] breakfast.
보어 역할 (~하는 것(이다))	주어 + be동사, seem 등 + to부정사(구)	Her dream is to be a firefighter.
목적어 역할 (~하는 것을)	주어 + want, plan, decide 등 + to부정사(구)	I plan to visit Rome next year.

A 다음 문장에서 밑줄 친 부분을 어법에 맞게 고치시오.

01 <u>Play</u> basketball is my favorite thing.

02 Her dream is <u>became</u> a police officer.

03 Brian wants <u>sign</u> up for the winter camp.

04 Our goal is <u>raises</u> 1,000 dollars.

05 Lucy practices <u>draw</u> with her left hand.

06 Are you planning <u>take</u> guitar lessons?

07 I am not good at <u>do</u> push-ups.

08 <u>Be</u> kind is good for you and everyone else.

09 We should avoid <u>waste</u> time and energy.

10 It is not safe <u>use</u> your cell phone at a crosswalk.

B 다음 빈칸에 들어갈 동사를 〈보기〉에서 골라 알맞은 형태로 쓰시오. (단, 한 번씩만 사용할 것)

보기
| send | wash | make | study |
| climb | wait | win | leave |

01 Brad enjoys _____ trees.

02 They finished _____ their dog.

03 Susan promised _____ me a mail.

04 Doran hopes _____ business at college.

05 Her fans kept _____ for her new album.

06 Mr. Anderson decided _____ the country forever.

07 I didn't expect _____ first prize in the contest.

08 I was angry because the children didn't stop _____ noise.

📖 **조건에 맞게 문장 바꿔 쓰기**

136 | 주어를 가주어 it으로 | To play the piano is fun.

137 | 주어를 동명사로 | To make friends is easy.

138 | 보어를 to부정사로 | My dream is becoming a cook.

139 | 동사를 enjoy로 | I want to play baseball.

140 | 주어를 to부정사로 | Being a smokejumper is a dangerous job. ★smokejumper 삼림 소방대원

141 | 동사를 plan으로 | I avoid seeing a scary movie.

142 | 주어를 동명사로 | To shop on the Internet is not safe.

143 | 동사를 wanted로 | He enjoys riding his bike after school.

📖 **배열하여 문장 쓰기**

144 고맙다고 말하는 것이 그렇게 쉬운 일은 아니다. (easy, is, thanks, saying, not, so)

145 나는 춤추는 것에 관심이 있다. (dancing, interested, I, in, am)

146 내 계획은 다음 주 토요일에 등산하는 것이다. (climb up, is, next Saturday, the mountain, my plan, to)

147 사람들은 우주에서 여행하는 것을 즐길 것이다. (enjoy, people, in space, traveling, will)

148 너는 새로운 것을 찾고 싶니? (you, want, do, things, to, new, find out)

149 그들은 바다 위에 축구장을 만들기로 결심했다. (on the sea, to make, they, a soccer field, decided)

WHAT???

150 나는 추운 날 아이스크림을 먹어보기를 권한다. (recommend, I, ice cream, on a cold day, trying)

[Self-Editing Checklist] ✔ 대·소문자를 바르게 썼나요? Ⓨ Ⓝ ✔ 철자와 문장 부호를 바르게 썼나요? Ⓨ Ⓝ

I have so many chores to do. 〈명사 수식〉

I need someone to talk to. 〈대명사 수식〉

Jay did his best to be a rapper. 〈목적〉
    = in order to be

Jay was happy to be a rapper. 〈감정의 원인〉

Jay grew up to be a singer. 〈결과〉

형용사적 용법	(대)명사 수식	~할, ~하는	① 명사 + to부정사
			② -thing, -one, -body (+ 형용사) + to부정사
			③ 명사 + to부정사 + 전치사
부사적 용법	목적	~하기 위해서	「in order to + 동사원형」과 바꿔 쓸 수 있음
	감정의 원인	~해서, ~하니	감정을 나타내는 형용사* + to부정사 *happy, glad, sad, excited, sorry 등
	결과	(그래서) ~하다	live, grow up, wake up 등* + to부정사 *자연스레 일어나는 일을 나타내는 동사

바로 개념

1 to부정사가 형용사처럼 명사나 대명사를 꾸며줄 때 형용사적 용법이라고 하며, 이때 to부정사는 (대)명사 뒤에 쓴다.

2 「to부정사 + 전치사」가 (대)명사를 꾸며주는 경우, 꾸밈을 받는 (대)명사는 to부정사 뒤에 있는 전치사의 목적어이다.

3 to부정사가 부사처럼 동사, 형용사, 부사 등을 꾸며줄 때 부사적 용법이라고 하며, 목적, 감정의 원인, 결과 등의 의미를 나타낸다.

4 stop 뒤에 to부정사가 오면 '~하려고 멈추다'라는 목적을 나타내는 to부정사의 부사적 용법이다.

✅ **고르며 개념 확인**   Answers p. 12

01 What is a special way to celebrate Parents' Day?   ○ 형용사적 용법   ○ 부사적 용법

02 I want something hot to drink.   ○ 형용사적 용법   ○ 부사적 용법

03 They took a taxi to catch the first train.   ○ 형용사적 용법   ○ 부사적 용법

04 Alicia studied hard to get good grades.   ○ 형용사적 용법   ○ 부사적 용법

05 Our team was very excited to win the game.   ○ 형용사적 용법   ○ 부사적 용법

06 Who was the first man to land on the moon?   ○ 형용사적 용법   ○ 부사적 용법

✏️ **쓰며 개념 정리**

07 스페인에는 방문할 곳이 많니? (visit)   Are there many places [＿＿＿＿] in Spain?

*08 그들은 살 집이 필요하다. (live, in)   They need a house [＿＿＿＿].
     ★「명사 + to부정사 + 전치사」

09 나는 전기를 아끼기 위해 불을 껐다. (save)   I turned off the light [＿＿＿＿] electricity.

10 우리는 우유를 사기 위해 마트에 갔다. (buy)   We went to the market [＿＿＿＿] some milk.

11 당신을 다시 만나서 기쁩니다. (meet)   I'm pleased [＿＿＿＿] you again.

12 그녀의 아들은 자라서 사진작가가 되었다. (be)   Her son grew up [＿＿＿＿] a photographer.

The thief started <u>to run</u>.
= running

Matt likes <u>to play</u> tennis.
= playing

I forgot <u>to send</u> the letter to Victor.
(앞으로) 편지를 부쳐야 할 것을 잊었다

I forgot <u>sending</u> the letter to Victor.
(과거에) 편지를 부쳤다는 것을 잊었다

목적어 형태가 무엇이든 의미가 같은 동사		start, begin, like, love, hate, prefer, continue 등	
목적어의 형태에 따라 의미가 다른 동사	forget	to부정사	(앞으로) ~할 것을 잊다
		동명사	(과거에) ~했던 것을 잊다
	remember	to부정사	(앞으로) ~할 것을 기억하다
		동명사	(과거에) ~했던 것을 기억하다
	try	to부정사	~하려고 노력하다
		동명사	시험 삼아 ~해보다

바로 개념

1 어떤 동사들은 to부정사나 동명사를 둘 다 목적어로 쓸 수 있는데, 의미 차이가 거의 없는 동사와 의미가 다른 동사가 있다.

2 의미 차이가 거의 없는 동사의 경우 동사가 진행형이라면 대개 목적어로 to부정사를 쓴다.

(e.g.) It was beginning to rain.

✅ **고르며 개념 확인**

Answers p. 12

01   I want ○ reading   ○ to read   a fantasy novel.

02   Yuna prefers ○ travel   ○ traveling   by train.

*03   I have to remember ○ to meet   ○ meeting   her next week.
★앞으로 할 일을 기억

*04   I remember ○ to play   ○ playing   this game in my childhood.
★과거에 한 일을 기억

05   You shouldn't forget ○ to lock   ○ locking   the door.

06   I'll never forget ○ to see   ○ seeing   Amy for the first time. She was cute.

✏️ **쓰며 개념 정리**

07   갑자기 그 아기는 울기 시작했다. (cry)   All of a sudden, the baby began [   ].

08   Alex는 집에 혼자 있는 것을 싫어한다. (be)   Alex hates [   ] alone at home.

09   의사는 그를 진정시키기 위해 애썼다. (calm)   The doctor tried [   ] him down.

10   시험 삼아 다른 샴푸를 사용해 봐. (use)   Try [   ] a different shampoo.

11   네 숙제를 가져올 것을 기억하렴. (bring)   Remember [   ] your homework.

12   나는 그 박물관을 방문했던 것을 기억한다. (visit)   I remember [   ] the museum.

개념 21 　to부정사의 형용사적 / 부사적 용법

1 to부정사가 형용사처럼 명사나 대명사를 꾸며줄 때 형용사적 용법이라고 하며, 이때 to부정사는 (대)명사 [　　　　]에 쓴다.

2 「to부정사＋전치사」가 (대)명사를 꾸며주는 경우, 꾸밈을 받는 (대)명사는 to부정사 뒤에 있는 [　　　　]의 목적어 이다.

3 to부정사가 부사처럼 동사, 형용사, 부사 등을 꾸며줄 때 부사적 용법이라고 하며, [　　　　], 감정의 원인, 결과 등의 의미를 나타낸다.

4 stop 뒤에 to부정사가 오면 '[　　　　]'라는 목적을 나타내는 to부정사의 부사적 용법이다.

형용사적 용법	(대)명사 수식	~할, ~하는	① 명사＋to부정사 ② -thing, -one, -body (＋형용사)＋to부정사 ③ 명사＋to부정사＋전치사
부사적 용법	목적	~하기 위해서	「in order to＋동사원형」과 바꿔 쓸 수 있음
	감정의 원인	~해서, ~하니	감정을 나타내는 형용사*＋to부정사 *happy, glad, sad, excited, sorry 등
	결과	(그래서) ~하다	live, grow up, wake up 등*＋to부정사 *자연스레 일어나는 일을 나타내는 동사

개념 22 　to부정사와 동명사를 목적어로 쓰는 동사

1 어떤 동사들은 to부정사나 동명사를 둘 다 목적어로 쓸 수 있는데, 의미 차이가 거의 없는 동사와 의미가 다른 동사가 있다.

2 의미 차이가 거의 없는 동사의 경우 동사가 진행형이라면 대개 목적어로 to부정사를 쓴다.

(e. g.) It was beginning to rain.

목적어 형태가 무엇이든 의미가 같은 동사		start, begin, like, love, hate, prefer, continue 등	
목적어 형태에 따라 의미가 다른 동사	forget	to부정사	(앞으로) ~할 것을 잊다
		동명사	(과거에) ~했던 것을 잊다
	remember	to부정사	
		동명사	
	try	to부정사	
		동명사	

A 다음 문장에서 밑줄 친 부분이 어법상 옳으면 O를 쓰고, 틀리면 바르게 고치시오.

01 Do you love <u>post</u> pictures on your blog?

02 Jack needs a friend <u>to play</u>.
★ 형용사적 용법일 때 to부정사 뒤에 전치사가 필요한 경우가 있음

03 It's time <u>to go</u> to bed. It's already 11 o'clock.

04 You must remember <u>feeding</u> your cat tomorrow morning.

05 Peter goes jogging every day <u>to stay</u> in good health.

06 I was surprised <u>to receive</u> her letter.

07 He doesn't have any money <u>buying</u> food.

08 Around noon, it started <u>to rain</u> hard.

09 The kids want <u>sweet something to eat</u>.
★ 대명사 + 형용사 + to부정사

10 The writer meets many people <u>to get</u> ideas for his work.

B 다음 우리말과 같도록 괄호 안의 표현을 이용하여 문장을 완성하시오.

01 말할 것이 아무것도 없다. (tell, nothing)

➡ There is [   ].

02 여러분은 신나는 일을 찾고 있나요? (something, do, exciting)

➡ Are you looking for [   ]?

03 많은 사람들이 표를 얻기 위해 줄을 서서 기다리고 있었다. (wait in line, get the tickets)

➡ Many people were [   ].

04 나는 그 소식을 들어 유감이다. (sorry, hear, the news)

➡ I'm [   ].

05 나는 그와 해변을 따라 걸었던 것을 기억한다. (remember, walk along the beach)

➡ I [   ] with him.

06 그녀는 물건을 재활용하기 위해 노력한다. (try, recycle things)

➡ She [   ].

📑 **비교하며 문장 쓰기**

151

나는 무언가를 원한다.

I want something.

나는 먹을 무언가를 원한다. (eat)

152

나는 숙제가 많다.

I have a lot of homework.

나는 해야 할 숙제가 많다. (do)

153

그는 최선을 다한다.

He does his best.

그는 그녀를 치료하기 위해 최선을 다한다.
(treat)

154

그는 대학에 갔다.

He went to college.

그는 법을 공부하기 위해 대학에 갔다.
(study law)

155

나는 음악 프로그램을 좋아한다.

I love music programs.

나는 음악 프로그램 보는 것을 좋아한다.
(watch)

156

우리는 대회를 위해 열심히 연습했다.

We practiced hard for the tournament.

우리는 대회를 위해 열심히 연습하기 시작했다.
(start)

157

그는 어젯밤 내게 전화했던 것을 잊었다.

He forgot calling me last night.

내게 전화하는 것을 잊지 마. (don't)

158

그는 커피 마시는 것을 그만두었다.

He stopped drinking coffee.

그는 커피를 마시기 위해 멈추었다.

📖 **문장 바르게 고쳐 쓰고 해석하기**

159 I need some water drinking.

I need some water to drink.

나는 약간의 마실 물이 필요하다.

160 I will study hard being a scientist.

161 She gets up early baking bread.

162 She will be happy see you again.

163 In the U.S., many people like eat apple pie for dessert.

164 I go to the gym to playing basketball.

165 I always try understanding them.

[Self-Editing Checklist] ✅ 대·소문자를 바르게 썼나요? Ⓨ Ⓝ ✅ 철자와 문장 부호를 바르게 썼나요? Ⓨ Ⓝ

대표유형 01   to부정사와 동명사

01 다음 빈칸에 들어갈 말로 알맞은 것을 <u>모두</u> 고르면?

> _____ is my favorite free-time activity.

① Rides a bike   ② Skating
③ To watching films   ④ To play tennis
⑤ Go shopping

02 다음 빈칸에 들어갈 말을 바르게 짝지은 것은?

> • We're planning _____ the palace.
> • Did you finish _____ the report?

① visit — to write   ② to visit — writing
③ to visits — writes   ④ visiting — writing
⑤ visiting — to write

03 다음 밑줄 친 부분 중 어법상 <u>어색한</u> 것은?

① How did you learn <u>to fly</u> drones?
② She practices <u>singing</u> after school.
③ We all agreed <u>to help</u> the old woman.
④ You should avoid <u>to use</u> paper cups.
⑤ Are you interested in <u>writing</u> novels?

대표유형 02   동명사의 쓰임

04 다음 문장의 빈칸에 들어갈 수 <u>없는</u> 것은?

> I enjoyed _____.

① the fireworks show   ② chatting with you
③ walking in the forest   ④ myself at the festival
⑤ to listen to music

05 다음 문장의 빈칸에 들어갈 수 <u>없는</u> 것의 개수는?

> Sue _____ working in the restaurant.

> ⓐ quit   ⓑ decided   ⓒ hopes
> ⓓ enjoyed   ⓔ kept   ⓕ gave up

① 1개   ② 2개   ③ 3개   ④ 4개   ⑤ 5개

06 다음 중 밑줄 친 부분의 성격이 나머지 넷과 <u>다른</u> 것은?

① My hobby is <u>taking</u> photos.
② <u>Getting</u> enough sleep is important.
③ The player is <u>throwing</u> a ball.
④ I'm really sorry for <u>being</u> late again.
⑤ Do you enjoy <u>watching</u> horror movies?

07 다음 우리말을 영어로 옮겼을 때 어법상 <u>어색한</u> 것은?

> 건강해지기 위해, 나는 패스트푸드를 그만 먹을 것이다.
> → To stay healthy, I'll stop to eat fast food.
>   ①   ②   ③   ④   ⑤

08 다음 중 〈보기〉의 밑줄 친 부분과 역할이 같은 것은?

> 보기   Mr. Grissom's only wish is <u>going</u> back to his hometown.

① Her job is <u>treating</u> sick animals.
② I keep <u>thinking</u> about the problem.
③ Do you mind <u>opening</u> the window?
④ <u>Speaking</u> English is not easy for me.
⑤ Don't be afraid of <u>making</u> mistakes.

대표유형 03   to부정사의 쓰임

09 다음 문장의 빈칸에 들어갈 말로 알맞은 것은?

> Nancy wanted _____ a famous artist.

① is   ② be   ③ to be
④ being   ⑤ to being

10 다음 우리말을 영어로 바르게 옮긴 것을 <u>모두</u> 고르면?

> 중국어를 배우는 것은 쉽지 않다.

① Learn Chinese is not easy.
② To learn Chinese is not easy.
③ To learning Chinese is not easy.
④ It is not easy learn Chinese.
⑤ It is not easy to learn Chinese.

11 다음 대화의 빈칸에 들어갈 말로 알맞은 것은?

> **A** Why did you go to the library?
> **B** I went there _____ some books.

① return　　② returned　　③ returning
④ to return　　⑤ to returns

12 다음 문장에서 to read가 들어가기에 가장 알맞은 곳은?

> I decided (①) to buy (②) some (③) books (④) on the plane (⑤).

13 다음 중 밑줄 친 to의 쓰임이 나머지 넷과 다른 것은?

① He pointed to something on the wall.
② It is fun to watch basketball games.
③ I'm planning to go fishing this Sunday.
④ To make a robot will not be easy.
⑤ The worker bees' job is to collect food.

14 다음 문장 중 어법상 알맞은 것은?

① Can you lend me a pen to write?
② I have important something to tell you.
③ Becky wanted riding a roller coaster.
④ I'm going to visit Canada to meet my cousin.
⑤ To take vitamins are good for your health.

대표유형 04　to부정사의 용법

15 〈보기〉의 밑줄 친 부분과 역할이 같은 것을 모두 고르면?

> 보기　　I love to watch sports on TV.

① We hope to hear from you soon.
② I was surprised to see him there.
③ They promised to be on time.
④ Many animals are losing places to live.
⑤ I turned on the computer to check my emails.

16 다음 중 밑줄 친 부분을 in order to로 바꿔 쓸 수 있는 것은?

① I have nothing to do now.
② I was happy to win the race.
③ Julia drank coffee to stay awake.
④ My dream is to run my own business.
⑤ To visit my grandparents is a great pleasure.

17 다음 중 밑줄 친 부분의 역할이 나머지 넷과 다른 것은?

① We have no time to waste.
② They all worked hard to succeed.
③ I don't have a dress to wear to the party.
④ Eva missed the chance to see her favorite singer.
⑤ He needs someone to take care of his dog.

대표유형 05　to부정사와 동명사를 목적어로 쓰는 동사

18 다음 문장의 빈칸에 들어갈 수 없는 것은?

> Steven _____ to play the violin.

① likes　　② hates　　③ began
④ continued　　⑤ kept

19 다음 밑줄 친 단어의 형태가 알맞은 것끼리 짝지은 것은?

> • I remember see her 10 years ago.
> • It's going to rain. Don't forget take your umbrella.

① seeing — to take　　② seeing — taking
③ to see — to take　　④ to see — taking
⑤ to seeing — takes

20 다음 문장에서 알 수 있는 사실로 가장 알맞은 것은?

> Ted forgot buying the tickets.

① Ted bought the tickets.
② Ted didn't buy the tickets.
③ It was not easy to buy the tickets.
④ The tickets were very expensive.
⑤ Ted wanted to sell the tickets.

Correct or Incorrect?

Answers p. 13

바로 개념 확인		CORRECT	INCORRECT
1	to부정사는 문장에서 명사, 형용사, 부사 역할을 한다.	○	○
2	전치사의 목적어로 동명사는 쓸 수 있고 to부정사는 쓸 수 없다.	○	○
3	to부정사구가 주어일 때는 「That ~ to부정사」로 바꿔 쓸 수 있다.	○	○
4	대명사를 꾸미는 to부정사는 대명사 앞에 쓴다.	○	○

바로 문장 확인		CORRECT	INCORRECT
5	It is difficult to lose weight.	○	○
6	William enjoys swimming in the pool.	○	○
7	The students decided taking a yoga class.	○	○
8	I called the hotel to make a reservation.	○	○
9	Joanna has no money to buy a car.	○	○

UNIT 07

형용사와 부사

핵심 개념 바로 확인   I know! ☺   No idea! ☹

- 형용사는 명사를 꾸민다.   ☺   ☹
- 부사는 동사, 형용사, 다른 부사, 문장 전체를 꾸민다.   ☺   ☹

She is a <u>famous</u> <u>guitarist</u>. 〈명사를 꾸밈〉

I want <u>something</u> <u>new</u>. 〈대명사를 꾸밈〉

The table was dirty. 〈주어의 상태 설명〉

These flowers are beautiful. 〈주어의 성질 설명〉

The game looked dangerous. 〈주어의 성질 설명〉

형용사의 쓰임	주로 명사 앞에서 명사를 꾸밈 ※ -thing, -body, -one 등으로 끝나는 대명사는 뒤에서 꾸밈 동사 뒤에서 주어의 상태 또는 성질을 설명		
형용사의 형태	명사+-y	health – healthy	dirt – dirty
	명사+-ful	use – useful	care – careful
	명사+-ous	fame – famous	danger – dangerous
	명사+-less	use – useless	care – careless
	동사+-able	love – lovable	break – breakable
	기타	cheap, pretty, easy, young ...	

바로 개념

1 형용사는 명사 앞에서 명사를 꾸민다. -thing, -body, -one 등으로 끝나는 대명사는 뒤에서 꾸민다.
2 형용사는 동사(be, become, grow, turn, look, sound, taste 등) 뒤에서 주어의 상태나 성질을 설명한다.
3 명사나 동사에 -y, -ful, -ous, -less, -able 등을 붙여 형용사를 만들 수 있다.

✔ 고르며 개념 확인

Answers p. 14

01 I was very ○ sleep   ○ sleepy   during the movie.

02 Your hands look ○ dirt   ○ dirty .

03 The glass was ○ break   ○ breakable .

04 Her speech was ○ not end   ○ endless .

05 I have ○ good news   ○ news good   for you.

06 He was tired, so he wanted ○ something sweet   ○ sweet something .

✏ 쓰며 개념 정리

07 그 소년은 키가 컸다.   The boy [　　　　] [　　　　].

08 그는 키가 큰 소년이었다.   He was a [　　　　] [　　　　].

09 그 음식은 맛있다.   The food [　　　　] [　　　　].

10 나는 맛있는 음식을 먹었다.   I ate [　　　　] [　　　　].

11 네 답은 옳다.   Your answer [　　　　] [　　　　].

12 그것은 옳은 답이다.   That is the [　　　　] [　　　　].

I have few friends in this school.

He gave a little money to his son.

The cook put some milk in the soup.

She doesn't have any brothers.

These trees need a lot of rain.

의미＼쓰임	셀 수 있는 명사 앞 (수)	셀 수 없는 명사 앞 (양)
거의 없는	few	little
약간의	a few	a little
약간의	• 긍정문: some (의문문에 쓰이면 권유의 의미) • 부정문, 의문문: any (긍정문에 쓰이면 '어떤 ~라도'의 의미)	
많은	many, a number of	much
많은	a lot of, lots of, plenty of	

바로 개념

1 수량 형용사는 수 또는 양을 나타내는 형용사이다.

2 few, a few, many 등은 셀 수 있는 명사(복수)를 꾸미며, 수를 나타낸다.

3 little, a little, much 등은 셀 수 없는 명사(단수)를 꾸미며, 양을 나타낸다.

4 some, any, a lot of, lots of, plenty of 등은 셀 수 있는 명사와 셀 수 없는 명사를 모두 꾸밀 수 있다.

✔ 고르며 개념 확인

Answers p. 14

01 Tony collected ○ many   ○ much   coins.

02 Brady invited ○ a few   ○ a little   friends.

03 There is ○ few   ○ little   water in the bottle.

04 I don't want ○ some   ○ any   birthday presents.

05 You have ○ some   ○ any   candies in your hand.

06 We need ○ a few   ○ a little   volunteers for this work.

✏ 쓰며 개념 정리

07 나는 몇 권의 책을 빌렸다.   I borrowed ⬚ ⬚ .

08 작년에는 비가 많이 왔다.   We had ⬚ ⬚ last year.

09 그 섬에는 나무가 거의 없다.   There are ⬚ ⬚ on the island.

10 많은 사람들이 농구를 좋아한다.   ⬚ ⬚ like basketball.

11 커피를 좀 드시겠어요?   Would you like ⬚ ⬚ ?

12 너는 많은 정보를 얻을 수 있다.   You can get ⬚ ⬚ ⬚ ⬚ .

개념 23　형용사의 쓰임과 형태

형용사의 쓰임	명사를 꾸밈	· 주로 명사의 [ ]에서 명사를 꾸밈 · -thing, -body, -one 등으로 끝나는 대명사는 [ ]에서 꾸밈	
	주어를 설명	동사(be, become, grow, turn, look, sound, taste 등)의 [ ]에서 주어의 상태 또는 성질을 설명함	
형용사의 형태	명사+-y	health – [ ]	dirt – [ ]
	명사+-ful	use – [ ]	care – [ ]
	명사+-ous	fame – [ ]	danger – [ ]
	명사+-less	use – [ ]	care – [ ]
	동사+-able	love – [ ]	break – [ ]
	기타	cheap, pretty, easy, young ...	

개념 24　수량 형용사

1　수량 형용사는 수 또는 양을 나타내는 형용사이다.

2　few, a few, many, a number of 등은 [   ]를 꾸미며, [   ]를 나타낸다.

3　little, a little, much 등은 [   ]를 꾸미며, [   ]을 나타낸다.

4　some, any, a lot of, lots of, plenty of 등은 셀 수 있는 명사와 셀 수 없는 명사를 모두 꾸밀 수 있다.

의미 ＼ 쓰임	셀 수 있는 명사 앞 (수)	셀 수 없는 명사 앞 (양)
거의 없는	few	
약간의		a little
	· 긍정문: some (의문문에 쓰이면 권유의 의미) · 부정문, 의문문: any (긍정문에 쓰이면 '어떤 ~라도'의 의미)	
많은	many, a number of	

A 주어진 단어의 알맞은 형용사형을 쓰시오.

01 help (도움) – [　　　　　] (무력한)

02 color (색) – [　　　　　] (다채로운)

03 cloud (구름) – [　　　　　] (구름 낀, 흐린)

04 rain (비) – [　　　　　] (비가 오는)

05 eat (먹다) – [　　　　　] (먹을 수 있는)

06 home (집) – [　　　　　] (집 없는)

07 change (바꾸다) – [　　　　　] (변하기 쉬운)

08 worth (가치) – [　　　　　] (가치 없는, 쓸모없는)

09 beauty (아름다움) – [　　　　　] (아름다운)

10 hope (희망) – [　　　　　] (희망에 차 있는)

11 mess (지저분한 모양) – [　　　　　] (엉망진창인, 지저분한)

12 mystery (불가사의, 신비) – [　　　　　] (불가사의한, 신비한)

B 둘 중 알맞은 것을 고르시오.

01 ○ A few   ○ A little   people ran to the river.

02 We would like ○ some   ○ any   cold drinks.

03 There are ○ a few   ○ a little   birds in the cage.

04 I can't remember ○ many   ○ much   songs.

05 ○ Much   ○ Lots of   dogs are running in the park.

06 You need ○ many   ○ a lot of   sugar to bake brownies.

07 He saved ○ some   ○ any   money for a new computer.

08 They spent ○ few   ○ little   time looking for the missing child.

📖 비교하며 문장 쓰기

표현
노트

166

우리는 훌륭한 책이 많이 있다.　We have many great books.

우리는 흥미로운 책이 좀 있다.　We have some interesting books.

some,
interesting

167

그녀는 매우 들떠 있다.　She is very excited.

그녀는 매우 피곤하다.

tired

168

너는 중요한 교훈을 배웠어.　You learned an important lesson.

나는 재미있는 이야기를 들었어.

funny

169

우리는 물을 많이 쓴다.　We use a lot of water.

우리는 종이컵을 많이 쓴다.

paper cups

170

나는 그들에게서 바나나를 몇 개 받았다.　I got some bananas from them.

그들은 바나나를 좀 갖고 있니?

have

171

헬리콥터가 몇 사람을 거기로 데려왔다.　A helicopter brought a few people there.

그것은 내게 통증을 약간 가져왔다.　It brought

✗ 셀 수 있는 명사와 셀 수 없는 명사를 구분

pain,
to me

172

한 남자가 잠들어 있다.　A man is asleep.

그는 방 안에 혼자 있다.

✗ asleep과 alone은 동사 뒤에서 주어를 설명할 때 씀

alone,
the room

173

그 공원은 끔찍해 보였고 나쁜 냄새가 났다.　The park looked terrible and smelled bad.

그 공원은 좋아 보였고 신선한 냄새가 났다.

nice,
fresh

📖 의미 확장하여 문장 쓰기

표현
노트

174 오늘 나는 채소를 땄다.

Today I picked vegetables.

오늘 나는 채소를 좀 땄다.

some

175 나는 깡통을 가지고 있다.

I have cans.

나는 빈 깡통 두 개를 가지고 있다.

empty

✗ 성질을 설명하는 형용사는 수량을 설명하는 형용사 뒤에 씀

176 그것들은 계단처럼 보였다.

They looked like stairs.

그것들은 거대한 녹색 계단처럼 보였다.

huge

✗ 성질을 설명하는 형용사는 크기를 설명하는 형용사 뒤에 씀

177 나는 그 직업에 대해 아는 것들이 있다.

I know things about the job.

나는 그 직업에 대해 아는 것들이 많다.

a lot of

178 케이프타운에는 타조 농장이 있다.

There are ostrich farms in Cape Town.

케이프타운에는 많은 타조 농장이 있다.

lots of

179 우리는 내 텐트로 이 가방을 만들었다.

We made this bag with my tent.

우리는 내 낡은 텐트로 이 멋진 가방을 만들었다.

stylish, old

180 독수리는 그들의 눈 때문에 사냥꾼이다.

Eagles are hunters because of their eyes.

독수리는 그들의 굉장한 눈 때문에 훌륭한 사냥꾼이다.

great, wonderful

[Self-Editing Checklist] ✓ 대·소문자를 바르게 썼나요? Ⓨ Ⓝ ✓ 철자와 문장 부호를 바르게 썼나요? Ⓨ Ⓝ

They walked fast. 〈동사를 꾸밈〉

He will leave early. 〈동사를 꾸밈〉

Lisa is very lazy. 〈형용사를 꾸밈〉

I passed the exam quite easily. 〈다른 부사를 꾸밈〉

Luckily, our team won the game. 〈문장 전체를 꾸밈〉

부사의 쓰임		주로 동사의 뒤에서 동사를 꾸밈
		형용사 앞에서 형용사를 꾸밈
		다른 부사의 앞에서 부사를 꾸밈
		문장 맨 앞에서 문장 전체를 꾸밈
부사의 형태	형용사+-ly	quick - quickly easy - easily possible - possibly
	형용사와 부사의 형태가 같음	late, hard, fast, early 등 cf. lately(요즘), hardly(거의 … 않다), highly(매우) 등은 형용사와 의미가 다름
	기타	always, then, there, soon, here, very, so 등

바로 개념

1 부사는 동사, 형용사, 다른 부사, 문장 전체를 꾸민다.

2 부사는 주로 동사의 뒤에 쓰이며, 형용사나 다른 부사, 문장을 꾸밀 때에는 꾸미는 말 앞에 쓰인다.

3 부사는 형용사에 -ly를 붙인 형태가 많으며, 형용사와 형태가 같은 부사도 있다.

✅ **고르며 개념 확인** 부사에 동그라미 하기

Answers p. 14

01 The fox ran fast.

02 She will come to the house soon.

03 The soldiers fought bravely.

04 Students must study hard.

05 It is pretty cold.

06 Happily, my mother got well.

07 Tony speaks French well.

08 Your sister dances very beautifully.

09 What are you doing here?

10 The music was so soft.

✏️ **쓰며 개념 정리**

11 나는 그에게 직접 이야기했다. I _____ . (talked to, directly, him)

12 눈이 너무 많이 왔다. It _____ . (too, snowed, much)

13 운 나쁘게도, 그녀는 길을 잃었다. _____ her way. (lost, unluckily, she)

14 그는 천천히 운전했다. He _____ . (his car, drove, slowly)

15 답은 꽤 간단하다. The answer _____ . (simple, is, quite)

16 그들은 희망에 차서 나를 보았다. They _____ . (hopefully, me, looked at)

개념 26 빈도부사

She is **always** happy.

We **usually** play soccer on Sunday.

Junho will **often** visit the bookstore.

Can you **sometimes** send me an email?

Ms. Todd **never** rides an escalator.

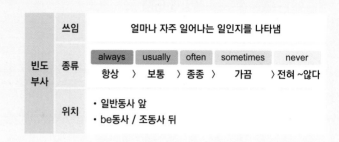

빈도부사	쓰임	얼마나 자주 일어나는 일인지를 나타냄
	종류	always 〉 usually 〉 often 〉 sometimes 〉 never 항상 〉 보통 〉 종종 〉 가끔 〉전혀 ~않다
	위치	• 일반동사 앞 • be동사 / 조동사 뒤

바로 개념

1 빈도부사는 어떤 일이 얼마나 자주 일어나는지를 나타내는 부사이다.

2 빈도부사는 주로 일반동사의 앞에, 그리고 be동사나 조동사의 뒤에 쓴다.

✅ 고르며 개념 확인

Answers p. 14

01 James ◯ is never   ◯ never is   on time.

02 I ◯ eat often   ◯ often eat   fast food.

03 I ◯ will always   ◯ always will   wait for you.

04 Ben ◯ goes usually   ◯ usually goes   to the theater on weekends.

05 You ◯ can sometimes   ◯ sometimes can   use the computer.

06 My mother ◯ walks usually   ◯ usually walks   her dog in the afternoon.

✏️ 쓰며 개념 정리

07 그는 절대 내게 거짓말을 하지 않는다.   He ⬚ to me. (a lie, tells, never)

08 나는 항상 일찍 일어날 것이다.   I ⬚ early. (always, will, get up)

09 아버지는 종종 낚시를 가신다.   My father ⬚ . (goes, fishing, often)

10 나는 일요일에는 보통 집에 있다.   I ⬚ on Sundays. (am, at, usually, home)

11 그녀는 가끔 오후에 피아노를 친다.   She ⬚ in the afternoon.

(sometimes, the piano, plays)

바로 개념 확인 노트

개념 25   부사의 쓰임과 형태

1   부사는 [　　　　], [　　　　], [　　　　], [　　　　]를 꾸민다.

2   부사는 주로 동사의 뒤에 쓰이며, 형용사나 다른 부사, 문장을 꾸밀 때에는 꾸미는 말 앞에 쓰인다.

3   부사는 형용사에 [　　　　]를 붙인 형태가 많으며, 형용사와 형태가 같은 부사도 있다.

	역할	위치
부사의 쓰임	동사를 꾸밈	주로 동사의 뒤
	형용사를 꾸밈	
	다른 부사를 꾸밈	
	문장 전체를 꾸밈	

	종류	예
부사의 형태	형용사+-ly	quick – [　　　] easy – [　　　] possible – [　　　]
	형용사와 부사의 형태가 같음	late, hard, fast, early 등 *cf.* lately(요즘), hardly(거의 … 않다), highly(매우) 등은 형용사와 의미가 다름
	기타	always, then, there, soon, here, very, so 등

개념 26   빈도부사

1   빈도부사는 어떤 일이 얼마나 자주 일어나는지를 나타내는 부사이다.

2   빈도부사는 주로 [　　　　]의 앞에, 그리고 be동사나 [　　　　]의 뒤에 쓴다.

빈도 부사	쓰임	얼마나 자주 일어나는 일인지를 나타냄
	종류	often 항상 〉 보통 〉 종종 〉 가끔 〉 전혀 ~않다
	위치	• 일반동사 앞 • be동사 / 조동사 뒤

A 괄호 안의 말을 알맞은 형태로 바꾸어 빈칸에 쓰시오. (단, 바꿀 필요가 없다면 그대로 쓸 것)

01 Move [   ]! (silent)

02 It rained [   ]. (heavy)

03 [   ], I couldn't understand them. (sad)

04 I can build the model car [   ]. (easy)

05 It is [   ] to change the world. (possible)

06 The kids cleaned the house [   ]. (quick)

07 You'll hear from him [   ] soon. (very)

08 Why did you arrive at the restaurant so [   ]? (early)

09 They listened to the music [   ]. (quiet)

10 [   ], Julia won the gold medal. (final)

B 괄호 안의 말을 알맞은 위치에 넣어 문장을 다시 쓰시오.

01 He will walk his dog. (often)

→ [   ]

02 Alex is late for class. (always)

→ [   ]

03 Dana watches TV at night. (never)

→ [   ]

04 My dog eats three times a day. (usually)

→ [   ]

05 We can see you again. (never)

→ [   ]

06 I went to the library to read magazines. (sometimes)

→ [   ]

📖 **비교하며 문장 쓰기**

표현 노트

181

그녀는 종종 베이컨과 달걀을 먹는다.

She often eats bacon and eggs.

그녀는 늘 빵과 우유를 먹는다.

She always eats bread and milk.

bread, milk

182

운 좋게도, 미나는 완벽한 직업을 찾았다.

Luckily, Mina found the perfect job.

운 나쁘게도, 그는 그의 가방을 잃어버렸다.

✘ 문장 전체를 꾸미는 부사는 문장의 맨 앞에 위치

unluckily

183

나는 종종 가족 소풍을 위해 공원을 방문한다.

I often visit the park for family picnics.

나는 가끔 운동을 위해 공원을 방문한다.

for exercise.

sometimes, exercise

184

그곳은 늘 사람들로 가득 차 있다.

It is always full of people.

그곳은 늘 사람들로 가득 차 있을 것이다.

will

185

Sam은 메모를 매우 주의 깊게 읽는다.

Sam reads the note very carefully.

Sam은 메모를 매우 느리게 읽는다.

slowly

186

그는 곧 좋아질 거야.

He will get better soon.

그는 빠르게 좋아질 거야.

quickly

187

그들의 삶은 완전히 달랐다.

Their lives were completely different.

그들의 목표는 꽤 달랐다.

goals, quite

188

왕은 공주를 따뜻하게 환영했다.

The king greeted the princess warmly.

그는 그녀에게 친절하게 말했다.

talk to, kindly

📖 **의미 확장하여 문장 쓰기**

표현 노트

189

나는 내 얼굴을 그린다.

I draw my face.

나는 종종 내 얼굴을 그린다.

I often draw my face.

often

190

나는 앉는다.

I sit.

나는 조용히 앉는다.

quietly

191

그녀의 빵은 훌륭하다.

Her bread is wonderful.

그녀의 빵은 언제나 훌륭하다.

always

192

나는 밤에 볼 수 있다.

I can see at night.

나는 밤에 선명하게 볼 수 있다.

clearly

193

그들은 토요일에 바쁘다.

They are busy on Saturdays.

그들은 토요일에 늘 바쁘다.

always

194

그는 더 많은 아이디어를 위해 책을 읽는다.

He reads books for more ideas.

그는 더 많은 아이디어를 위해 보통 책을 읽는다.

usually

195

우리는 산이나 해변에 간다.

We go to a mountain or a beach.

우리는 가끔 산이나 해변에 간다.

sometimes

[Self-Editing Checklist] ✅ 대·소문자를 바르게 썼나요? Y N   ✅ 철자와 문장 부호를 바르게 썼나요? Y N

대표유형 01 형용사의 형태와 쓰임

01 다음 중 짝지어진 단어의 관계가 나머지 넷과 <u>다른</u> 것은?

① fame — famous
② help — helpful
③ care — careful
④ brave — bravely
⑤ friend — friendly

02 다음 중 나머지 넷과 성격이 <u>다른</u> 것은?

① dirty
② hunger
③ difficult
④ common
⑤ breakable

[03-04] 다음 빈칸에 공통으로 들어갈 말로 <u>어색한</u> 것을 <u>모두</u> 고르시오.

03

• The bird looks _____.
• There are _____ children.

① lovely
② happy
③ nicely
④ warmly
⑤ beautiful

04

• The plan was _____.
• She has some _____ things.

① bore
② useless
③ dangerous
④ helpful
⑤ interestingly

05 다음 문장 중 어법상 <u>어색한</u> 것은?

① He was sleepy then.
② This sandwich tastes badly.
③ The summer night felt endless.
④ The cat was healthy and cute.
⑤ Do you want something cold?

대표유형 02 수량 형용사의 종류와 쓰임

06 다음 문장의 밑줄 친 부분과 바꿔 쓸 수 <u>없는</u> 것은?

I saw <u>lots of</u> flowers in the garden.

① many
② much
③ a lot of
④ plenty of
⑤ a number of

07 다음 중 밑줄 친 부분이 <u>어색한</u> 것은?

① I need <u>some</u> water.
② He has <u>little</u> money.
③ She drinks <u>a lot of</u> coffee.
④ There are <u>a number of</u> boys.
⑤ They saw <u>a little</u> animals in the zoo.

08 다음 빈칸 (A)~(C)에 들어갈 말이 순서대로 바르게 짝지어진 것은?

• Do you have ___(A)___ butter?
• She raises ___(B)___ pigs.
• There is ___(C)___ water in the vase.

① some – a little – little
② some – a few – few
③ any – a few – little
④ any – a little – a few
⑤ any – little – few

[09-10] 다음 중 어법상 자연스러운 것을 고르시오.

09
① Tom has a few time.
② I stored a lot of food.
③ I want sweet anything.
④ We had few snow in this winter.
⑤ Many information about it will help us.

10
① The cat had little milk.
② The baker baked a few bread.
③ I have any friends in my class.
④ We don't have some toothbrushes.
⑤ She met a little friends on Saturday.

대표유형 03   부사의 형태와 쓰임

11 다음 두 문장의 빈칸에 공통으로 알맞은 것은?

> • I got up _____ this morning.
> • I was _____ for school again.

① soon   ② hard   ③ hardly
④ late   ⑤ lately

12 다음 중 짝지어진 단어의 관계가 나머지 넷과 다른 것은?

① fast – fast   ② happy – happily
③ easy – easily   ④ quick – quickly
⑤ love – lovely

13 다음 중 밑줄 친 부분의 성격이 나머지 넷과 다른 것은?

① We talked quietly.
② He is a fast runner.
③ This city is really huge.
④ She worked very hard.
⑤ The bird flies high in the sky.

14 다음 문장에서 괄호 안의 단어가 들어갈 위치로 가장 알맞은 것은?

> (①) Janghun (②) is (③) drinking (④) water (⑤) much. (too)

15 다음 중 밑줄 친 단어의 뜻이 잘못된 것은?

① He was badly hurt. (몹시)
② It rained heavily last night. (심하게)
③ The patient looked quite ill. (조용한)
④ She solved the problem easily. (쉽게)
⑤ My mother was highly pleased. (매우)

대표유형 04   빈도부사

16 다음 우리말과 같도록 할 때 빈칸에 알맞은 것은?

> 그는 결코 사무실에 들르지 않을 것이다.
> → He will _____ drop by the office.

① never ② often ③ soon ④ hardly ⑤ always

17 다음 우리말을 바르게 영작한 것은?

> 나는 종종 영화를 볼 것이다.

① I often will see a movie.
② I see a movie sometimes.
③ I will often see a movie.
④ I will never see a movie.
⑤ Sometimes I will see a movie.

18 다음 중 괄호 안의 부사를 추가한 문장이 어색한 것은?

① She eats cheese. (never)
   → She never eats cheese.
② Yunho asks questions. (often)
   → Yunho asks often questions.
③ They take a nap around 3. (usually)
   → They usually take a nap around 3.
④ I write letters to her. (sometimes)
   → I sometimes write letters to her.
⑤ Books will give you pleasure. (always)
   → Books will always give you pleasure.

[19-20] 다음 문장 중 어법상 어색한 것을 고르시오.

19 ① Tim often walks to school.
② Dohun never reads comic books.
③ You must do always your best.
④ He moved the boxes carefully.
⑤ Lucy usually went swimming on Sundays.

20 ① Tonya never listens to others.
② I usually prepare dinner for my family.
③ Can you sometimes clean the mirror?
④ She often is late for the club meeting.
⑤ My father always comes home early.

Correct or Incorrect ?

	CORRECT	INCORRECT
1 형용사 little, a little, much는 수를 나타낸다.	○	○
2 부사는 다른 부사나 문장 전체를 꾸밀 수 있다.	○	○
3 빈도부사는 조동사 앞에 쓴다.	○	○
4 형용사는 동사 뒤에서 주어의 성질을 설명하기도 한다.	○	○

	CORRECT	INCORRECT
5 Those mountains look beautifully.	○	○
6 There are a few chairs in the room.	○	○
7 You can sometimes meet him.	○	○
8 I want to talk to others kind.	○	○
9 There is a young girl there.	○	○

Answers p. 16

UNIT 08

의문사

핵심 개념 바로 확인　　　I know! ☺　No idea! ☺

- ✔ 의문사는 '누가', '언제', '무엇을' 등과 같이 구체적인　☺　☺
  정보를 물어볼 때 쓴다.
- ✔ 의문사가 있는 의문문에는 Yes 또는 No로 답할 수　☺　☺
  없다.

who, what, which

__Who__ is that boy over there? — He's Henry.
〈이름·관계 등〉   — He's my brother.

__What__ does your mother do? — She's a doctor.
〈직업〉

__What__ kind of music do you like? — I like hip-hop.
의문 형용사 (어떤 ~)

__Which__ sport do you like better, baseball or soccer?
의문 형용사 (어느 ~)
                        — I like baseball better.

의문사가 있는 의문문의 형태	
be동사가 쓰일 때	의문사+be동사+주어 ~?
일반동사가 쓰일 때	의문사+조동사(do, can, will 등)+주어+동사원형 ~?
의문사가 주어일 때	의문사+동사 ~?

바로 개념

1 의문사 who는 '누구'라는 뜻으로 사람의 이름, 신분, 관계 등을 물을 때 사용한다.

2 의문사 what은 '무엇', '무슨 ~', '어떤 ~'이라는 뜻으로 사물의 이름, 직업, 역할 등을 물을 때 사용한다.

3 의문사 which는 '어느 ~', '어느 것[사람]'의 뜻으로 정해진 대상 중 어느 쪽을 선택할 지 물을 때 사용한다.

4 의문 형용사로 쓰일 때 what(무슨 ~, 어떤 ~)과 which(어느 ~) 다음에는 명사가 온다.

✅ 고르며 개념 확인

Answers p. 16

01 ○ Who   ○ What   is your best friend? — Jiwon is my best friend.

02 ○ Who   ○ What   do you do in your free time? — I draw cartoons.

03 ○ What   ○ Which   one is yours, this or that? — That one is mine.

*04 ○ Who   ○ What   knows the answer? — Michelle does.
★ 의문사가 주어일 때 → 의문사 주어는 3인칭 단수 취급

*05 ○ Which   ○ What   is your new teacher like? — She's very kind.
★ What is ~ like? ~은 어때?

06 ○ Who   ○ Which   do you want, milk or juice? — I want milk.

✏️ 쓰며 개념 정리

07 [   ] [   ] your favorite singer? — Sam Smith is my favorite singer.

08 [   ] [   ] the window? — I don't know. Maybe John broke it.

*09 [   ] [   ] your aunt do? — She teaches English at a middle school.
★ 직업을 말함

*10 [   ] [   ] you eat for lunch? — I ate an egg sandwich.
★ 과거 시제로 답한 것에 주의

11 [   ] [   ] of movies [   ] Matt like? — He likes comedies.

12 [   ] color do you like, red or blue? — I like red.

when, where

<u>When</u> is your birthday? — It's May 12.
때

<u>When</u> does the movie start? — It starts at six.
구체적인 시각 (= What time)

<u>Where</u> is Boram Library? — It's across the street.
장소 · 위치

<u>Where</u> did you put the key? — I put it on the desk.
장소 · 위치

**바로
개념**

1 의문사 when은 '언제'라는 뜻으로 때나 시간을 물을 때 쓴다.

2 구체적인 시각을 물을 때 when을 what time으로 바꿔 쓸 수 있다.

3 의문사 where는 '어디서', '어디에'라는 뜻으로 장소나 위치를 물을 때 쓴다.

✅ **고르며 개념 확인**

Answers p. 16

01 ○ When   ○ Where   is Angela? — She's in the kitchen.

02 ○ When   ○ Where   is the school festival? — It's on October 20.

03 ○ When   ○ Where   can I buy tickets? — Go to the second floor.

04 ○ When   ○ Where   does the show begin? — It'll begin in 15 minutes.

05 ○ When   ○ Where   do you play tennis? — I usually play tennis after school.

06 ○ When   ○ Where   did you go yesterday? — I went to the art gallery.

 쓰며 개념 정리

07 [   ] [   ]   Claire from? — She's from New Zealand.

08 [   ] [   ]   David live? — He lives in Toronto.

09 [   ] [   ]   you last night? — I was at Jim's house.

10 [   ] [   ]   he buy the car? — He bought it a year ago.

11 [   ] [   ]   you visit the nursing home? — I'll visit it this Saturday.

12 [   ] [   ] [   ]   the shop open? — It opens at 10 a.m.

개념 27   who, what, which

1   의문사 who는 '[　　　　　]'라는 뜻으로 사람의 이름, 신분, 관계 등을 물을 때 사용한다.

2   의문사 [　　　　　]은 '무엇', '무슨 ~', '어떤 ~'이라는 뜻으로 사물의 이름, 직업, 역할 등을 물을 때 사용한다.

3   의문사 [　　　　　]는 '어느 ~', '어느 것[사람]'의 뜻으로 정해진 대상 중 어느 쪽을 선택할 지 물을 때 사용한다.

4   의문 형용사로 쓰일 때 what(무슨 ~, 어떤 ~)과 which(어느 ~) 다음에는 [　　　　　] 가 온다.

의문사가 있는 의문문의 형태		
be동사가 쓰일 때	의문사 + [　　　　] + [　　　　] ~?	
일반동사가 쓰일 때	의문사 + [　　　　] (do, can, will 등) + [　　　　] + [　　　　] ~?	
의문사가 주어일 때	의문사 + [　　　　] ~?	

개념 28   when, where

1   의문사 when은 '[　　　　　]'라는 뜻으로 때나 시간을 물을 때 쓴다.

2   구체적인 시각을 물을 때 when을 [　　　　　] 으로 바꿔 쓸 수 있다.

3   의문사 [　　　　　]는 '어디서', '어디에'라는 뜻으로 장소나 위치를 물을 때 쓴다.

(1) [　　　　] is Chinatown? — It's in Incheon.

(2) [　　　　] is her wedding day? — It's March 7.

(3) [　　　　] time do you leave home? — Around 8 o'clock.

(4) [　　　　] kind of fruit do you like most? — I like grapes most.

(5) [　　　　] won first prize? — Ashley did.

(6) [　　　　] do you prefer, carrot cake or strawberry cake? — I prefer carrot cake.

A 다음 대화의 빈칸에 알맞은 말을 쓰시오.

01 [_____] is your favorite ice cream flavor? — Vanilla.

02 [_____] will Bomi graduate from college? — Next February.

*03 [_____] [_____] shall we make it? — How about six?
★ 몇 시에 만날까요?

04 [_____] came up with the idea? — Maria did.

05 [_____] team will win, Real Madrid or Barcelona? — I think Barcelona will.

06 [_____] sport do you like best? — I like volleyball best.

07 [_____] does your uncle do? — He is a pilot.

08 [_____] are you going to volunteer? — At the children's hospital.

B 주어진 표현을 배열하여 응답에 알맞은 질문을 완성하시오. (단, 주어진 표현 중 한 개는 제외할 것)

01 A [_____]? (the woman, is, who, what, this picture, in)

B She's my aunt.

02 A [_____]? (who, what, this report, wrote)

B Kevin did.

03 A [_____]? (kind of, books, who, what, you, like, do)

B I like mysteries.

04 A [_____]? (when, where, you, were, born)

B I was born in Jinju.

05 A [_____]? (your cousin, who, what, does, look like)

B He's short and wears glasses.

06 A [_____]? (go to bed, when, where, you, do)

B About 11 o'clock.

교과서에서 뽑은 *360*문장 마스터하기

📖 비교하며 문장 쓰기

표현 노트

196
네가 가장 좋아하는 축구선수는 누구니?
Who is your favorite soccer player?

네가 가장 좋아하는 운동은 뭐니?

sport

197
이 그림을 그린 화가는 누구니?
Who is the painter of this picture?

누가 그것을 그렸니?

✗ 의문사가 주어일 때 → 「의문사+동사~?」

paint

198
너는 지난 주말에 뭐 했니?
What did you do last weekend?

너는 이번 주말에 뭐 할 거니?

be going to

199
자유의 여신상은 어디에 있니?
Where is the Statue of Liberty?

너는 어디를 여행하고 싶니?

✗ want: to부정사를 목적어로 쓰는 동사

want, travel

200
너는 언제 일어나니?
When do you get up?

우리 몇 시에 만날까?

what, should

201
넌 무엇을 좋아하니?
What do you like?

넌 무슨 과목을 좋아하니?

subject

202
넌 어느 것을 원하니?
Which do you want?

넌 어느 수업에 참여하길 원하니?

class, join

203
넌 무엇에 관심 있니?
What are you interested in?

넌 그 그림에 대해 어떻게 생각하니?

✗ How를 쓰지 않도록 주의!

think about, the painting

📖 **배열하여 문장 쓰기**

204   너는 어제 무엇을 봤니? (watch, did, yesterday, what, you)

205   누가 바닥에 이 쓰레기를 버렸니? (threw, who, on the floor, this trash)

206   네 여동생은 어떻게 생겼니? (does, look, your sister, like, what)

207   너는 내 교복에 대해 어떻게 생각하니? (my school uniform, what, of, you, do, think)

208   너는 어떤 종류의 춤을 좋아하니? (do, like, what, of, you, kind, dancing)

209   개는 빨간색과 노란색 중 어떤 색깔을 못 보니? (color, a dog, or, can't, which, see, red, yellow)

210   모임이 언제 시작하니? (the meeting, begin, will, when)

[Self-Editing Checklist] ✔ 대·소문자를 바르게 썼나요? Ⓨ Ⓝ   ✔ 철자와 문장 부호를 바르게 썼나요? Ⓨ Ⓝ

개념 29 why, how

<u>Why</u> are you so happy? — <u>Because</u> I got an A on my math test.
이유   ~ 때문에

<u>Why</u> don't you try some noodles? — Thanks. They look delicious.
권유 (~하는 게 어때?)

<u>How</u> do you go to school? — <u>By bus</u>.
방법·수단   「by+교통수단」으로 나타낼 때 관사 쓰지 않음

<u>How</u> are you doing? — I'm good.
안부

<u>How</u> is the weather in Seoul? — It's sunny.
상태 (= What is the weather like in Seoul?)

바로 개념

1 의문사 why는 '왜'라는 뜻으로 원인이나 이유를 물어볼 때 쓴다. 대답할 때는 because를 이용하여 말할 수 있다.

2 Why don't you ...?: 너는 ~하는 게 어때? (권유) / Why don't we ...?: 우리 ~하자. (제안)

3 의문사 how는 '어떻게'라는 의미로 방법, 수단, 안부, 상태 등을 물을 때 쓴다.

 고르며 개념 확인

Answers p. 17

01 ○ Why   ○ How   is Miranda absent? — Because she has a bad cold.

02 ○ Why   ○ How   is everything going? — Great, thanks.

03 ○ Why   ○ How   do you want to receive information about our sales? — By email.

04 ○ Why   ○ How   don't you see a dentist? — Okay, I will.

05 ○ Why   ○ How   do you spell your name? — It's C-I-N-D-Y.

06 ○ Why   ○ How   did you leave early? — Because I wanted to get some rest.

✎ 쓰며 개념 정리

07 [   ] [   ] I look? — You look perfect.

*08 [   ] [   ] they late this morning? — Because they missed the bus.
★ 과거로 답한 것에 유의

09 [   ] [   ] you call me last night? — Because I wanted to ask you a favor.

10 [   ] [   ] your first day at school? — It was wonderful.

11 [   ] can I get to the subway station? — Go straight and turn left.

12 I'm bored. [   ] [   ] [   ] play board games? — Sounds good.

How + 형용사 [부사] ~?

월   일

<u>How old</u> is your sister? — She's 12 years old.
나이

<u>How often</u> do you eat out? — Once a month.
빈도   = per (~ 마다)

<u>How many</u> students are there? — There're 15 students.
「how many + 셀 수 있는 명사」

<u>How much</u> money do you have? — Five dollars.
「how much + 셀 수 없는 명사」

how old	나이	얼마나 나이 든
how tall [high]	키, 높이	얼마나 높은
how long	기간, 길이	얼마나 긴
how far	거리, 정도	얼마나 먼
how fast	빠르기	얼마나 빠른
how often	빈도	얼마나 자주
how many	수	얼마나 많은
how much	양, 가격	얼마나 많은, 얼마

바로 개념

1 「How + 형용사 [부사] ~?」는 '얼마나 ~한[~하게] ~?'이라는 의미로 나이, 빈도, 수, 양, 가격 등을 물을 때 쓰인다.

2 how many 뒤에는 셀 수 있는 명사(복수)가 오고, how much 뒤에는 셀 수 없는 명사(단수)가 온다.

✅ 고르며 개념 확인

Answers p. 17

01 ○ How old   ○ How tall   is your brother? — He's 160 cm tall.

02 ○ How long   ○ How far   does it take to get there? — About an hour.

03 ○ How fast   ○ How often   do you feed your cat? — Twice a day.

04 ○ How long   ○ How far   is your school? — It's 3 km from here.

*05 ○ How many   ○ How much   milk do you drink a day? — Three glasses.
★ milk: 셀 수 없는 명사 (단수)

*06 ○ How many   ○ How much   languages do you speak? — I speak two languages.
★ languages: 셀 수 있는 명사 (복수)

쓰며 개념 정리

07 [   ] [   ] does a horse run? — It can run up to 80 km per hour.

08 [   ] [   ] is your dog? — She's three years old.

09 [   ] [   ] did you stay in Italy? — For three months.

10 [   ] [   ] do you play basketball? — Twice a week.

11 [   ] [   ] is this jacket? — It's 35 dollars.

12 [   ] [   ] [   ] do you usually sleep a day? — For about eight hours.

개념 29   why, how

1 의문사 why는 '[   ]'라는 뜻으로 원인이나 이유를 물어볼 때 쓴다. 대답할 때는 [   ]를

   이용하여 말할 수 있다.

2 [   ]...?: 너는 ~하는 게 어때? (권유) / [   ]...? : 우리 ~하자. (제안)

3 의문사 [   ]는 '어떻게'라는 의미로 방법, 수단, 안부, 상태 등을 물을 때 쓴다.

개념 30   How + 형용사 [부사] ~?

1 「How + 형용사 [부사] ~?」는 '얼마나 ~한[~하게] ~?'이라는 의미로 나이, 빈도, 수, 양, 가격 등을 물을 때 쓰인다.

2 how [   ] 뒤에는 셀 수 있는 명사(복수)가 오고, how [   ] 뒤에는 셀 수 없는 명사(단수)가

   온다.

how old	나이	얼마나 나이 든
how tall [high]	키, 높이	[ ]
	기간, 길이	얼마나 긴
	거리, 정도	[ ]
	빠르기	얼마나 빠른
	빈도	[ ]
	수	얼마나 많은
	양, 가격	얼마나 많은, 얼마

(1) [   ] did you stay up late? — Because I had to finish my report.

(2) [   ] did you like the movie? — I thought it was boring.

(3) [   ] don't we go to Disneyland this Sunday? — I'd love to, but I can't.

(4) [   ] [   ] seats are left? — There are only two seats left.

(5) [   ] [   ] water do we need? — We need one liter.

(6) [   ] [   ] can I borrow this book for? — For two weeks.

A 다음 문장의 밑줄 친 부분을 알맞게 고치시오.

01 **A** <u>What</u> is the weather today?

☐

B It's sunny but a little cold.

02 **A** How <u>long</u> is the mountain?

☐

B It's about 1,000 meters high.

03 **A** How <u>many</u> does it cost?

☐

B It's 7,000 won.

04 **A** How <u>much</u> times did you check your phone today?

☐

B About ten times.

✦ time: ~ 번, ~ 회

05 **A** How <u>fast</u> is it to the grocery store?

☐

B It's about 5 kilometers.

06 **A** <u>What</u> do you look so worried?

☐

B Because my dog is missing.

B 다음 대화의 빈칸에 알맞은 말을 쓰시오.

01 **A** ☐ was the food?

B It was quite spicy, but I enjoyed it.

02 **A** ☐ does Sam want to visit Korea?

B Because he wants to meet his favorite K-pop star.

03 **A** ☐ ☐ is the Eiffel Tower?

B It's about 300 meters tall.

04 **A** ☐ ☐ classes do you have on Friday?

B I have six classes.

05 **A** ☐ ☐ sugar does this tea have?

B It has 3 teaspoons of sugar.

06 **A** ☐ ☐ do I have to water these plants?

B Once a week.

📖 비교하며 문장 쓰기

211
동물들은 인간과 어떻게 다르니?
How are animals different from humans?

동물들은 어떻게 세상을 보니?

see the world

212
그녀는 어떻게 의사가 되었니?
How did she become a doctor?

너는 왜 의사가 되고 싶니?

want, be a doctor

213
너는 왜 케이크를 샀니?
Why did you buy a cake?

케이크를 사는 게 어떠니?

✗ 권유하는 표현 쓰기

why

214
캠프는 어땠니?
How was the camp?

캠프는 얼마나 오래 했니?

be

215
그는 얼마나 빠르니?
How fast is he?

한라산은 얼마나 높니?

Mt. Halla

216
사자는 하루에 보통 몇 시간 자니?
How many hours do lions usually sleep a day?

Julie와 Mike는 돈을 얼마 벌었니?

how, money, earn

217
학교에 가는 데 얼마나 걸리니?
How long does it take to get to the school?

공원은 여기서 얼마나 머니?

the park, from here

218
너의 여동생은 몇 살이니?
How old is your sister?

너는 얼마나 자주 요가 수업에 가니?

go to, a yoga class

📖 밑줄 친 부분의 정보를 묻는 문장 쓰기

219 I read e-books <u>because I can carry them easily</u>.

220 My cousin is <u>twelve years old</u>.

221 He is <u>165 centimeters tall</u>.

222 The onions are <u>3,000 won</u> for a kilo.

223 There are <u>four people</u> in my family.

224 I go to my school library <u>once a week</u>.

225 Amazon River Dolphins live <u>for about 35 years</u>.

[Self-Editing Checklist] ☑ 대·소문자를 바르게 썼나요? Ⓨ Ⓝ   ☑ 철자와 문장 부호를 바르게 썼나요? Ⓨ Ⓝ

01 다음 빈칸에 공통으로 들어갈 말로 알맞은 것은?

> • _____ is the weather like in Boston?
> • _____ kind of jellyfish are they?

① Where   ② What   ③ Who
④ How   ⑤ Why

02 다음 대화의 빈칸에 들어갈 말로 알맞은 것은?

> **A** _____ is your role model?
> **B** My role model is Mother Teresa.

① Who   ② Why   ③ What
④ How   ⑤ When

03 다음 대화의 빈칸에 들어갈 말로 알맞은 것은?

> **A** _____ does a soccer match last?
> **B** It depends, but it usually lasts about 2 hours.

① Where   ② How   ③ How far
④ How long   ⑤ How many

04 다음 빈칸에 공통으로 들어갈 말로 알맞은 것은?

> • _____ are you doing?
> • _____ far is it from Seoul to Busan?

① What   ② Where   ③ Who
④ Why   ⑤ How

05 다음 빈칸에 공통으로 들어갈 말로 알맞은 것은?

> • _____ was he mad at you?
> • _____ don't you go see a doctor?

① How ② What ③ When ④ Where ⑤ Why

06 다음 대화의 빈칸에 들어갈 말이 바르게 짝지어진 것은?

> **A** _____ do you look so down?
> **B** I lost my cell phone.
> **A** What? _____ did that happen?
> **B** I left it in a taxi.

① Why — How   ② Who — How   ③ Why — What
④ How — Who   ⑤ How — What

07 다음 대화의 빈칸에 들어갈 말이 바르게 짝지어진 것은?

> **A** _____ is Victoria?
> **B** She's in the gym.
> **A** _____ is she doing now?
> **B** She's doing yoga.

① Who — Where   ② Where — When
③ Where — What   ④ How — Why
⑤ How — Which

08 다음 중 빈칸에 What이 들어갈 수 <u>없는</u> 것은?

① _____ are you good at?
② _____ does this sign mean?
③ _____ do you like better, coke or juice?
④ _____ elementary school did you go to?
⑤ _____ do you usually do after dinner?

09 다음 중 빈칸에 How가 들어갈 수 <u>없는</u> 것은?

① _____ was your trip to Egypt?
② _____ is the weather outside?
③ _____ do I get to the gift shop?
④ _____ much is this backpack?
⑤ _____ do you like, pork or beef?

10 다음 질문에 대한 응답으로 알맞은 것은?

> How does Lisa go to school?

① Every weekday.   ② With Brian.
③ By subway.   ④ Today after school.
⑤ Next to the park.

11 다음 질문에 대한 응답으로 알맞은 것은?

> Where can I find men's clothes?

① It opens at nine.
② They all look great.
③ Yes, you can find them.
④ I go shopping once a month.
⑤ They're on the fourth floor.

12 다음 질문에 대한 응답으로 <u>어색한</u> 것은?

> What do you do?

① I'm a musician.　　② I teach science.
③ I'm a pianist.　　④ I'm doing well.
⑤ I work at a police station.

13 다음 질문에 대한 응답으로 <u>어색한</u> 것은?

> How often do you go jogging?

① Three times a week.
② In the morning.
③ Once a week.
④ On weekends.
⑤ I don't jog at all.

14 다음 응답을 할 수 있는 질문으로 알맞은 것은?

> He's tall and thin.

① Who saw Mike?
② How is Mike doing?
③ What is Mike interested in?
④ What does Mike look like?
⑤ What is Mike looking at?

15 다음 응답을 할 수 있는 질문으로 알맞은 것은?

> It's delicious. I love it.

① Who made this cake?
② How do you like this cake?
③ How much is this cake?
④ What is your favorite cake?
⑤ When did you eat the cake?

16 다음 응답을 할 수 있는 질문으로 알맞은 것은?

> It takes about 20 minutes by bus.

① Which bus goes to City Hall?
② Where can I take the bus?
③ How often does the bus come?
④ When does the next bus leave?
⑤ How long does it take to get to the airport?

17 다음 대화의 빈칸에 들어갈 말을 <u>모두</u> 고르면?

> **A** ＿＿＿＿＿＿＿＿＿＿＿＿＿＿＿＿＿＿
> **B** At half past ten.

① When did you go to bed last night?
② How much is this watch?
③ How many hours do you study a day?
④ What club do you want to join?
⑤ What time does the next train arrive?

대표유형 03 의문문 만들기

18 다음 우리말을 영작할 때 <u>두 번째</u>로 오는 단어는?

> 너는 어떤 영화를 볼 거니?
> (movie, are, going, you, to, what, watch)
> 　　①　　②　　③　　④　　　　⑤

19 다음 우리말을 바르게 영작한 것은?

> 너는 한 달에 책을 몇 권 읽니?

① How many books you read a month?
② How many books do you read a month?
③ How many books read do you a month?
④ How much books you read a month?
⑤ How much books do you read a month?

20 다음 밑줄 친 부분을 바르게 고친 것을 <u>모두</u> 고르면?

① Why <u>does</u> you have to go now? (→ are)
② How fast <u>is</u> light travel? (→ do)
③ How <u>many</u> money do you need? (→ much)
④ Who <u>live</u> in this house? (→ lives)
⑤ How <u>I can</u> get there? (→ do can I)

Correct
or ?
Incorrect

바로
개념
확인

		CORRECT	INCORRECT
1	의문사가 있는 의문문에는 Yes 또는 No로 답한다.	○	○
2	의문사가 주어일 때 「의문사＋동사」의 어순으로 쓴다.	○	○
3	구체적인 시각을 물을 때 what time을 이용한다.	○	○
4	의문사 how는 '어떻게'라는 의미로 방법, 수단, 안부, 상태 등을 물을 때 쓴다.	○	○

바로
문장
확인

		CORRECT	INCORRECT
5	What is Jack like? — He likes science.	○	○
6	Why don't you sign up for the swimming lesson? — Because I want to learn to swim.	○	○
7	Which dessert do you prefer, apple pie or cheesecake? — I prefer apple pie.	○	○
8	How much years did you live in Vietnam? — Two years.	○	○
9	How do you go to school? — By bike.	○	○

Answers p. 18

UNIT 09

문장의 종류

핵심 개념 바로 확인　　　　I know! ☺　No idea! ☹

- ✔ 명령문은 주어 You가 생략된 문장이고, Let's 청유문에서　☺　☹
  Let's는 Let us의 줄임말이다.
- ✔ 감탄문은 문장 끝에 느낌표(!)를 쓴다.　　　　　　　　　☺　☹
- ✔ 부가 의문문은 평서문 뒤에 덧붙이는 의문문이다.　　　　☺　☹
- ✔ 부정 의문문은 동사의 부정형으로 묻는다.　　　　　　　☺　☹

명령문 / Let's 청유문

Be polite to others.

Make yourself at home, please.
부탁이나 요청을 나타내는 경우 명령문 앞이나 뒤에 please를 씀

Don't use your cell phone during class.

I'm really tired. Let's relax for a while.

Let's not waste time.

명령문	긍정	동사원형 ~.	~해라
	부정	Don't + 동사원형 ~.	~하지 마라
Let's 청유문	긍정	Let's + 동사원형 ~.	~하자
	부정	Let's not + 동사원형 ~.	~하지 말자

바로 개념

1 긍정 명령문은 '~해라'의 의미로, 주어인 You를 생략하고 동사원형으로 시작한다. 부정 명령문은 '~하지 마라'의 의미로 동사원형 앞에 Don't를 쓴다. 이때 be동사의 원형인 be 앞에도 동일하게 Don't를 써서 「Don't be ~.」로 나타낸다.

2 청유문은 '(같이) ~하자'의 의미로 「Let's+동사원형 ~.」으로 쓰며, 이때 Let's는 Let us의 줄임말이다. '~하지 말자'는 의미의 부정문은 「Let's not+동사원형 ~.」으로 쓴다.

✔ 고르며 개념 확인

Answers p. 18

01 Don't ○ be ○ is late for class.

02 ○ Being ○ Be a good listener.

03 ○ Let's not ○ Let don't be in a hurry.

04 Let's ○ go ○ goes to a movie this Saturday.

05 ○ Takes ○ Take a short shower to save water.

06 Don't ○ running ○ run in the library.

07 ○ Hold ○ Held the handrail on the escalator.

✏ 쓰며 개념 정리

08 단것을 너무 많이 먹지 마라. (eat) [   ] too many sweets.

09 식목일이다. 나무를 심자. (plant) It is Arbor Day. [   ] a tree.

10 동물들에게 음식을 주지 마라. (give) [   ] food to the animals.

11 잔디밭에 들어가지 마라. (keep) [   ] off the grass.

12 다시 생각해 봤는데, 거기 가지 말자. (go) On second thought, [   ] there.

How kind (you are)! (너는) 정말 친절하구나!

How delicious (it is)! (그것은) 정말 맛있구나!

How <u>well</u> he speaks English! 그는 영어를 정말 잘하는구나!
     부사

What a pretty smile she has! 그녀는 정말 예쁜 미소를 가지고 있구나!

What noisy <u>animals</u> (they are)! (그것들은) 정말 시끄러운 동물이구나!
     복수 명사

How 감탄문	How+형용사[부사] (+주어+동사)! 강조하는 것
What 감탄문	What(+a(n))+형용사+명사 (+주어+동사)! 강조하는 것

바로 개념

1 감탄문은 기쁨, 슬픔, 놀람 등의 감정을 나타내는 문장으로 문장의 끝에 항상 느낌표(!)를 쓴다. 이때 「주어+동사」는 생략이 가능하다.

2 형용사나 부사를 강조할 때는 how로, 명사를 강조할 때는 what으로 시작하는 감탄문을 쓴다.

3 what으로 시작하는 감탄문에서 복수 명사나 셀 수 없는 명사가 오는 경우에는 부정관사 a나 an을 쓰지 않는다.

고르며 개념 확인

Answers p. 18

01 ○ How   ○ What   interesting the movie was!

02 ○ How   ○ What   a foolish boy he is!

03 ○ How   ○ What   fast cheetahs run!

04 ○ How   ○ What   a clever dog it is!

05 ○ How   ○ What   difficult the test was!

06 ○ How   ○ What   beautiful weather it is!

07 ○ How   ○ What   an expensive watch she is wearing!

쓰며 개념 정리

08 정말 슬픈 소식이구나! (sad)   [＿＿＿＿＿＿] news!

09 그 배우는 정말 잘생겼구나! (handsome)   [＿＿＿＿＿＿] the actor is!

10 너는 정말 큰 손을 가졌구나! (big)   [＿＿＿＿＿＿] hands you have!

11 정말 굉장한 날이었어! (amazing)   [＿＿＿＿＿＿] day it was!

12 너는 정말 현명하구나! (wise)   [＿＿＿＿＿＿] you are!

개념 31 명령문 / Let's 청유문

1 긍정 명령문은 '~해라'의 의미로, 주어인 [　　　]를 생략하고 동사원형으로 시작한다. 부정 명령문은 '~하지 마라' 의 의미로 동사원형 앞에 Don't를 쓴다. 이때 be동사의 원형인 [　　　] 앞에도 동일하게 Don't를 써서 「Don't be ~.」로 나타낸다.

2 청유문은 '(같이) ~하자'의 의미로 「Let's + [　　　] ~.」으로 쓰며, 이때 Let's는 [　　　]의 줄임말이 다. '~하지 말자'는 의미의 부정문은 「Let's [　　　] + 동사원형 ~.」으로 쓴다.

명령문	긍정	동사원형 ~.	~해라
	부정	[　　　] + 동사원형 ~.	~하지 마라
Let's 청유문	긍정	Let's + 동사원형 ~.	~하자
	부정	Let's [　　　] + 동사원형 ~.	~하지 말자

개념 32 감탄문

1 감탄문은 기쁨, 슬픔, 놀람 등의 감정을 나타내는 문장으로 문장의 끝에 항상 [　　　]를 쓴다. 이때 「주어 + 동사」는 생략이 가능하다.

2 형용사나 부사를 강조할 때는 [　　　]로, 명사를 강조할 때는 [　　　]으로 시작하는 감탄문을 쓴다.

3 what으로 시작하는 감탄문에서 [　　　] 명사나 셀 수 [　　　] 명사가 오는 경우에는 부정관사 a나 an을 쓰지 않는다.

How 감탄문	How + 형용사[부사] (+주어+동사)! 강조하는 것	[　　　] cold it is! 정말 춥구나!
		[　　　] [　　　] he jumps! 그는 정말 멀리 뛰는구나!
What 감탄문	What(+a(n)) + 형용사 + 명사 (+주어+동사)! 강조하는 것	[　　　] [　　　] smart girl! 정말 똑똑한 소녀구나!

A 다음 문장에서 밑줄 친 부분을 어법에 맞게 고치시오.

01 What a fast the train is!

02 Opens the window, please.

03 Let's playing soccer this afternoon.

04 How friendly was the clerk!

05 Don't swimming in this river.

06 What a beautiful these flowers are!

07 Let's don't take life too seriously.

B 다음 〈보기〉와 같이 밑줄 친 부분을 강조하는 감탄문을 쓰시오.

> 보기
> It is a very dangerous bridge. → **What** a dangerous bridge it is!
> The kitty was very small. → **How** small the kitty was!

01 This is a very lovely dress.

→

02 The box is very heavy.

→

03 She gave a very great speech.

→

04 The firefighters were very brave.

→

05 The air is very fresh.

→

06 It is a very useful app.

→

07 We are very different.

→

📖 **배열하여 문장 쓰기**

226 현명한 전화기 사용자가 돼라. (smart, a, phone user, be)

Be a smart phone user.

227 정말 아름다운 날이구나! (day, what, beautiful, a)

228 오랫동안 목을 굽히지 마라. (for a long time, bend, your, don't, neck)

229 안전규칙을 기억해라. (safety, the, remember, rules)

230 언제 야구장에 가자. (some day, go, the ballpark, let's, to)

231 네 앞의 의자를 발로 차지 마라. (in front of, kick, you, don't, the chair)

232 너의 꿈을 믿어라. (in, dream, believe, your)

233 그들은 정말 귀엽구나! (are, how, they, cute)

📖 **문장 바르게 고치고 해석하기**

234 Not run in the classroom.

Don't run in the classroom.

교실에서
뛰지 마라.

235 Let's taking the subway and saving time.

236 How a strange town is this!

237 Comes and sits down.

238 What wonderful it was!

239 Not say bad words to your friends.

240 How a great job is it!

[Self-Editing Checklist] ✓ 대·소문자를 바르게 썼나요? Ⓨ Ⓝ ✓ 철자와 문장 부호를 바르게 썼나요? Ⓨ Ⓝ

You are busy, aren't you?

— Yes, I am. (응, 바빠.) / No, I'm not. (아니, 바쁘지 않아.)

Daniel didn't study hard, did he?

Your mom can drive a car, can't she?

Behave yourself, will you?

명령문은 주어 you가 생략되어 있음

	앞 문장	부가 의문문
형태	긍정문	부정문
	부정문	긍정문
동사	be동사와 조동사	앞 문장 그대로 씀
	일반동사	주어의 인칭과 수, 시제에 따라 do / does / did를 씀
주어	your sister, 여자 이름 등	she
	your dad, 남자 이름 등	he
	this, that 등	it
	these, those 등	they

바로 개념

1 부가 의문문은 상대방의 동의를 구하거나 사실을 확인하기 위해 평서문 끝에 「동사＋주어?」의 형태로 덧붙이는 의문문으로 '그렇지?', '그렇지 않니?'로 해석한다. 부정문은 동사와 not을 줄여서 쓴다.

2 부가 의문문에 대한 응답은 부가 의문문이 긍정이든 부정이든 관계없이 답하는 내용이 긍정이면 Yes로, 부정이면 No로 한다.

3 명령문과 Let's 청유문의 부가 의문문은 긍정, 부정에 상관없이 각각 「명령문, will you?」, 「Let's ~, shall we?」로 쓴다.

✅ **고르며 개념 확인**   Answers p. 19

01   Mr. Green looks angry, ⃝ does he ⃝ doesn't he ?

02   You can't swim, ⃝ can you ⃝ can't you ?

03   The soup wasn't delicious, ⃝ was it ⃝ wasn't it ?

04   Emma lived in China two years ago, ⃝ did she ⃝ didn't she ?

05   Turn down the music, ⃝ will you ⃝ won't you ?

06   Your brothers are baseball players, ⃝ are they ⃝ aren't they ?

07   Let's not talk about the past anymore, ⃝ do we ⃝ shall we ?

✏️ **쓰며 개념 정리**

08   That is your backpack, _____ ?

09   Your father will come back soon, _____ ?

10   Don't break your promise, _____ ?

11   You didn't do anything wrong, _____ ?

12   These pants weren't comfortable at all, _____ ?

Isn't your brother a nurse? (너의 오빠는 간호사가 아니니?)

— **Yes, he is.** (아니, 그는 간호사야.) / **No, he isn't.** (응, 그는 간호사가 아니야.)

Don't you like taking selfies?

Didn't she buy the striped T-shirt?

Can't he eat anything spicy?

be동사 부정 의문문	be동사 + not + 주어 ~?
일반동사 부정 의문문	Don't [Doesn't / Didn't] + 주어 + 동사원형 ~?
조동사 부정 의문문	조동사 + not + 주어 + 동사원형 ~?

바로 개념

1 부정 의문문은 not을 이용한 동사의 부정형으로 시작하는 의문문으로 '~하지 않니?'라는 뜻이다. 주로 긍정의 답을 기대하거나 상대방을 설득할 때 쓰며, 동사의 부정형은 Isn't, Don't, Can't처럼 모두 축약형으로 쓴다.

2 부정 의문문에 대한 응답은 답하는 내용이 긍정이면 Yes로, 부정이면 No로 한다. 이때 Yes는 '아니오'로, No는 '네'로 해석한다.

✅ **고르며 개념 확인**

Answers p. 19

01 그녀는 사랑스럽지 않니?   ○ Isn't   ○ Wasn't   she lovely?

02 그는 오늘 너의 사무실을 방문했니?   ○ Didn't   ○ Did   he visit your office today?

03 너희는 내 파티에 올 수 없니?   ○ Can   ○ Can't   you come to my party?

04 너는 어제 집에 있지 않았니?   ○ Weren't   ○ Were   you at home yesterday?

05 너는 그녀의 이름을 모르니?   ○ Don't   ○ Do   you know her name?

06 그들은 기타를 연주하고 있니?   ○ Aren't   ○ Are   they playing the guitar?

✏️ **쓰며 개념 정리**

07 A 그는 요리하는 것을 좋아하지 않니? (like)   [_____] cooking?

    B 아니, 좋아해.   [_____] , [_____] .

08 A 너는 마라톤 후에 힘들지 않니? (tired)   [_____] after the marathon?

    B 응, 힘들지 않아.   [_____] , [_____] .

09 A 그녀는 너를 저녁 식사에 초대하지 않았니? (invite)   [_____] you to dinner?

    B 아니, 초대했어.   [_____] , [_____] .

개념 33 부가 의문문

1 부가 의문문은 상대방의 동의를 구하거나 사실을 확인하기 위해 평서문 끝에 「⬚ + ⬚?」의 형태로 덧붙이는 의문문으로 '그렇지?', '그렇지 않니?'로 해석한다. 부정문은 동사와 not을 줄여서 쓴다.

2 부가 의문문에 대한 응답은 부가 의문문이 긍정이든 부정이든 관계없이 답하는 내용이 긍정이면 Yes로, 부정이면 No로 한다.

3 명령문과 Let's 청유문의 부가 의문문은 긍정, 부정에 상관없이 각각 「명령문, ⬚?」, 「Let's ~, shall we?」로 쓴다.

	앞 문장	부가 의문문
형태	긍정문	앞 문장 그대로 씀 주어의 인칭과 수, 시제에 따라 do / does / did를 씀
	부정문	
동사	일반동사	
주어	your sister, 여자 이름 등	
	your dad, 남자 이름 등	
	this, that 등	
	these, those 등	

개념 34 부정 의문문

1 부정 의문문은 not을 이용한 동사의 부정형으로 시작하는 의문문으로 '~하지 않니?'라는 뜻이다. 주로 긍정의 답을 기대하거나 상대방을 설득할 때 쓰며, 동사의 부정형은 Isn't, Don't, Can't처럼 모두 ⬚으로 쓴다.

2 부정 의문문에 대한 응답은 답하는 내용이 긍정이면 Yes로, 부정이면 No로 한다. 이때 ⬚는 '아니오'로, ⬚는 '네'로 해석한다.

be동사 부정 의문문	be동사 + ⬚ + 주어 ~?
일반동사 부정 의문문	⬚[Doesn't / Didn't] + 주어 + 동사원형 ~?
조동사 부정 의문문	⬚ + ⬚ + 주어 + 동사원형 ~?

A 다음 문장에서 밑줄 친 부분을 어법에 맞게 고치시오.

01 Minho can't join us, <u>does he</u>?

02 Wash your hands first, <u>won't you</u>?

03 City Hall is on Main Street, <u>is it</u>?

04 Let's play baseball after school, <u>do we</u>?

05 You don't remember me, <u>don't you</u>?

06 John was disappointed at the news, <u>didn't he</u>?

07 She will buy the movie tickets online, <u>doesn't she</u>?

08 Mr. and Mrs. Lee run an Italian restaurant, <u>do they</u>?

09 Kate isn't interested in science, <u>isn't Kate</u>?

B 다음 빈칸에 알맞은 말을 써서 대화를 완성하시오.

01 **A** Don't you like swimming?

　　B _____ , _____ . I'm afraid of water.

02 **A** Sam has a little sister, _____ he?

　　B _____ , _____ . He is an only child.

03 **A** Wasn't the final exam difficult?

　　B _____ , _____ . I got a bad grade.

04 **A** Your mother isn't good at cooking, _____ ?

　　B _____ , _____ . But I like her cooking.

05 **A** Didn't she finish writing the report?

　　B _____ , _____ . She is still doing it.

06 **A** You are thinking about getting a pet, _____ ?

　　B _____ , _____ . I will visit an animal shelter tomorrow.

07 **A** Isn't Mark a member of the tennis club?

　　B _____ , _____ . He's not interested in it.

📖 배열하여 문장 쓰기

241 그것은 맛있어 보인다, 그렇지 않니? (it, delicious, looks, it, doesn't)

It looks delicious, doesn't it?

242 우리는 정말 멋져, 그렇지 않니? (wonderful, we, so, we, aren't, are)

243 그 이야기는 한국에서 유래했어, 그렇지 않니? (isn't, from, is, it, the story, Korea)

244 그것은 놀랍지 않니? (it, amazing, isn't)

245 너는 음악에 관심이 있어, 그렇지 않니? (aren't, interested in, you, you, music, are)

246 너의 개가 화분을 깨뜨렸어, 그렇지 않니? (didn't, your, the flower pot, it, broke, dog)

247 아이들이 놀이를 하고 있어, 그렇지 않니? (they, playing a game, the children, aren't, are)

248 그들은 환경의 중요성을 알지 못하니? (know, don't, the environment, the importance, of, they)

📖 표현 이용하여 대화 완성하기

표현 노트

249

A 내일 네 생일이지, 그렇지 않니?

Tomorrow is your birthday, isn't it?

B 아니, 그렇지 않아.

No, it isn't.

tomorrow

250

A 이것은 무섭지 않니?

B 응, 무섭지 않아.

this, scary

251

A 너는 고민이 있구나, 그렇지 않니?

B 응, 있어.

have a problem

252

A 그는 오늘 지각하지 않았어, 그렇지?

B 아니, 늦었어.

late for school today

253

A 그는 훌륭한 음악가야, 그렇지 않니?

B 응, 그래.

an excellent musician

254

A 너는 뭐 잊은 것 없니?

B 응, 없어.

★ 현재 진행 시제로 쓰는 것에 주의

forgetting something

255

A 날이 좋다, 그렇지 않니?

B 응, 그래.

a nice day

[Self-Editing Checklist] ✅ 대·소문자를 바르게 썼나요? Ⓨ Ⓝ   ✅ 철자와 문장 부호를 바르게 썼나요? Ⓨ Ⓝ

대표유형 01   명령문과 Let's 청유문

01 다음 두 문장의 빈칸에 공통으로 알맞은 것은?

> • _____ polite to your parents.
> • Don't _____ afraid to ask for help.

① Are [are]　　② Do [do]　　③ Is [is]
④ Be [be]　　⑤ Being [being]

02 다음 두 문장의 의미가 같을 때 빈칸에 알맞은 것은?

> Julia, remember to lock the door.
> = Julia, _____ forget to lock the door.

① do　　② don't　　③ doesn't
④ let's　　⑤ not

03 다음 두 문장의 빈칸에 들어갈 말을 바르게 짝지은 것은?

> • _____ careful on the stairs.
> • _____ pick flowers in the park.

① Be — Not　　② Do — Don't
③ Being — Don't　　④ Being — Doesn't
⑤ Be — Don't

04 다음 문장 중 어법상 어색한 것은?

① Don't act like a fool.
② Let's not give up hope.
③ Pay attention during class.
④ Be not disappointed in yourself.
⑤ Let's study together this weekend.

대표유형 02   감탄문

05 다음 문장을 감탄문으로 바르게 바꾼 것은?

> She has a very beautiful voice.

① How beautiful voice she has!
② How beautiful voice has she!
③ What beautiful voice she is!
④ What a beautiful voice has she!
⑤ What a beautiful voice she has!

06 다음 문장 중 어법상 어색한 것은?

① What an expensive jacket this is!
② How interesting the webtoon is!
③ How terrible the headache was!
④ What deep the river is!
⑤ What a small world it is!

07 다음 문장의 빈칸에 들어갈 수 없는 것은?

> How _____!

① high　　② dark　　③ cute it is
④ clever　　⑤ a big boy

08 다음 중 빈칸에 들어갈 말이 나머지 넷과 다른 것은?

① _____ tall the building is!
② _____ tasty soup it is!
③ _____ slippery the road is!
④ _____ slow these snails are!
⑤ _____ important friendship is!

09 다음 중 밑줄 친 부분이 어법상 어색한 것은?

① What a unique shirt!
② How dirty your room is!
③ How delicious this cake is!
④ What an honest man he is!
⑤ How amazing stories they are!

10 다음 밑줄 친 부분 중 어법상 어색한 것은?

> ① What ② a ③ comfortable ④ jeans ⑤ they are!

11 다음 우리말을 영어로 바르게 나타낸 것은?

> 그는 정말 좋은 친구이구나!

① How good friend he is!
② How a good friend he is!
③ What good friend he is!
④ What a good friend is he!
⑤ What a good friend he is!

대표유형 03 부가 의문문

12 다음 중 밑줄 친 부분이 어법상 <u>어색한</u> 것은?

① Ted goes skiing in winter, <u>doesn't he</u>?
② Your mom can speak Spanish, <u>can't she</u>?
③ You watched the movie, <u>did you</u>?
④ Let's not forget our promise, <u>shall we</u>?
⑤ Wear a helmet, <u>will you</u>?

13 다음 문장의 빈칸에 들어갈 부가 의문문으로 알맞은 것은?

> Liam gave you a book to read, _____?

① was he   ② did he   ③ didn't he
④ does it   ⑤ didn't it

14 다음 두 문장의 빈칸에 들어갈 말을 바르게 짝지은 것은?

> • The pictures aren't yours, _____?
> • She was at home, _____?

① are they — wasn't she
② are they — was she
③ is it — is she
④ aren't they — does she
⑤ were they — isn't she

15 다음 문장 중 어법상 알맞은 것은?

① She read the novel, did you?
② Let's go on a picnic, do we?
③ Don't pee in the pool, will you?
④ You don't have a pen, have you?
⑤ Bob is going to learn Korean, is he?

16 다음 문장의 빈칸에 들어갈 수 <u>없는</u> 것을 <u>모두</u> 고르면?

> They _____, don't they?

① are your favorite subjects
② play the piano very well
③ have a lot of free time
④ usually go to school on foot
⑤ studied hard to pass the exam

대표유형 04 부정 의문문

17 다음 대화의 밑줄 친 우리말을 세 단어로 영작하시오.

> **A** Doesn't your brother enjoy K-pop?
> **B** <u>아니, 즐겨.</u>

→ _____

18 다음 대화의 빈칸에 들어갈 말을 바르게 짝지은 것은?

> **A** _____ you Jessica's sister?
> **B** _____ I'm her cousin.

① Aren't — Yes, I am.
② Aren't — No, I'm not.
③ Are — Yes, I am.
④ Don't — Yes, I do.
⑤ Don't — No, I don't.

대표유형 05 통합형

19 다음 빈칸에 들어갈 말을 순서대로 바르게 짝지은 것은?

> • _____ noisy birds they are!
> • Let's go to the movies, _____?
> • _____ drink too much soda.

① What — do we — Be
② What — do we — Don't
③ What — shall we — Don't
④ How — shall we — Not
⑤ How — do you — Don't be

20 다음 문장 중 어법상 옳은 것끼리 묶은 것은?

> ⓐ Follow the rules at school.
> ⓑ Don't cheats on a test.
> ⓒ Let's walk faster, can we?
> ⓓ What lovely weather it is!
> ⓔ This is your textbook, isn't this?
> ⓕ How an old tree it is!

① ⓐ, ⓓ, ⓔ   ② ⓑ, ⓒ   ③ ⓐ, ⓓ
④ ⓑ, ⓔ, ⓕ   ⑤ ⓒ, ⓕ

Correct
or
Incorrect

		CORRECT	INCORRECT

바로 개념 확인

		CORRECT	INCORRECT
1	긍정 명령문은 동사원형으로 시작한다.	○	○
2	명사를 강조할 때는 How로 시작하는 감탄문을 쓴다.	○	○
3	앞 문장이 긍정문이면 부가 의문문은 부정문으로 쓴다.	○	○
4	부정 의문문은 not으로 시작하는 의문문이다.	○	○

바로 문장 확인

		CORRECT	INCORRECT
5	Turns off your cell phone in class.	○	○
6	How cute the baby elephant is!	○	○
7	What a clever cat it is!	○	○
8	You bought a new bike, did you?	○	○
9	Isn't it too expensive?	○	○

Answers p. 20

UNIT 10

문장의 형식

핵심 개념 바로 확인　　I know! ☺　No idea! ☹

❤ 문장은 주어와 동사를 포함해야 한다.　☺　☹
❤ 문장은 문장 성분에 따라 크게 5가지 형식으로 구분된다.　☺　☹

The runner ran.

The runner was **on the track.**

There is a chair **in the room.**

Are **there** chairs **in the room?**

1형식 문장

| 주어 | + | 동사 | (+ | 부사/전치사구 |) |

There + be동사

긍정문	~이 있다	There is + 주어 (단수 명사)
		There are + 주어 (복수 명사)
부정문	~이 없다	There is not + 주어 (단수 명사)
		There are not + 주어 (복수 명사)
의문문	~이 있는가?	Is there + 주어 (단수 명사) ...?
		Are there + 주어 (복수 명사) ...?

*과거 시제일 때 is / are → was / were

바로 개념

1 주어는 행위의 주체이며, 동사는 상태나 동작을 나타내는 말이다.

2 1형식 문장: 「주어+동사」, 필요에 따라 부사나 전치사구 등이 같이 쓰인다.

3 1형식 문장에 쓰이는 동사는 보어나 목적어를 필요로 하지 않는다.

4 「There+be동사」 구문의 주어는 be동사 뒤에 온다. 주어와 시제에 따라 be동사의 형태를 달리 한다.

✅ **고르며 개념 확인**

Answers p. 20

01 The baby ○ cried   ○ to cry   loudly.

02 My grandfather ○ death   ○ died   last year.

03 There ○ is   ○ are   not a monster in the lake.

04 The students ○ went   ○ going   to school today.

05 There ○ was   ○ were   some dogs in the yard.

06 I ○ live   ○ living   in the country with my family.

✏️ **쓰며 개념 정리**

07 나는 두 시간쯤 잤다.   I _____ for about two hours.

08 James는 문밖으로 걸어나갔다.   James _____ out the door.

09 이 근처에 큰 병원이 있다.   There _____ a big hospital near here.

10 Alex는 학생들에게 미소를 지었다.   Alex _____ at the students.

11 이 마을에 영화관이 있나요?   _____ there a movie theater in this town?

12 냉장고 안에 포도가 좀 있다.   _____ _____ some grapes in the refrigerator.

Benjamin is a doctor.
주어 동사 주격 보어

Benjamin became a famous doctor.
주어 동사 주격 보어

Ms. Wellington is happy.
주어 동사 주격 보어

Ms. Wellington felt happy.
주어 감각동사 주격 보어

The idea sounds interesting.
주어 감각동사 주격 보어

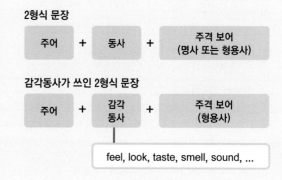

2형식 문장

| 주어 | + | 동사 | + | 주격 보어 (명사 또는 형용사) |

감각동사가 쓰인 2형식 문장

| 주어 | + | 감각 동사 | + | 주격 보어 (형용사) |

feel, look, taste, smell, sound, ...

바로 개념

1 2형식 문장: 「주어＋동사＋주격 보어」
2 주격 보어는 주어를 설명하거나 보충하는 말이다. 명사 또는 형용사를 쓴다.
3 감각을 나타내는 동사가 쓰였을 때에는 주격 보어로 형용사를 쓴다.

✔ 고르며 개념 확인

Answers p. 20

01 My uncle was ○ angry ○ angrily .

02 I kept ○ silent ○ silently for some time.

03 He felt very ○ tired ○ tiredly .

04 The tea smells sour and ○ sweetness ○ sweet .

05 The leaves on the tree turned ○ red ○ to red .

06 The potato salad on the table went ○ bad ○ badly .

07 All of my cousins ○ became ○ became to middle school students.

✎ 쓰며 개념 정리

08 그는 병들었다. _____ (he, sick, got)

09 그 음식은 맛이 훌륭하다. _____ (tastes, the dish, great)

10 내 꿈은 이루어졌다. _____ (came, my dream, true)

11 Julie는 슬퍼 보였다. _____ (Julie, sad, looked)

12 나의 아버지는 택시 운전사이다. _____ (is, my father, a taxi driver)

개념 35   1형식과 「There + be동사」

1 [   ]는 행위의 주체이며, [   ]는 상태나 동작을 나타내는 말이다.

2 1형식 문장은 「[   ] + [   ]」로 쓴다. 필요에 따라 부사나 전치사구 등을 같이 쓴다.

3 '[   ]'라는 의미를 나타내는 「There+be동사」 구문의 주어는 be동사 뒤에 오는 명사이다.

「There+be동사」 구문의 형태

종류	의미	현재 시제	과거 시제
긍정문	~이 있다	There is + 주어(단수 명사)	There [ ] + 주어(단수 명사)
		There are + 주어(복수 명사)	There [ ] + 주어(복수 명사)
부정문	~이 없다	There is not + 주어(단수 명사)	There [ ] not + 주어(단수 명사)
		There are not + 주어(복수 명사)	There [ ] not + 주어(복수 명사)
의문문	~이 있는가?	Is there + 주어(단수 명사) …?	[ ] there + 주어(단수 명사) …?
		Are there + 주어(복수 명사) …?	[ ] there + 주어(복수 명사) …?

개념 36   2형식

1 2형식 문장은 「주어+동사+ [   ] 」로 쓴다.

2 주격 보어는 주어를 설명하거나 보충하는 말로, [   ] 또는 형용사를 쓴다.

3 감각을 나타내는 동사가 쓰였을 때에는 주격 보어로 형용사를 쓴다.

2형식 문장의 형태

주어 + 동사 + 주격 보어 (명사 또는 형용사)

감각동사가 쓰인 2형식 문장의 형태

주어 + 감각동사 + 주격 보어 (형용사)

feel, look, taste, smell, sound, …

A 문장의 주어에는 동그라미하고, 동사에는 밑줄을 치시오.

01 There is a house near the river.

02 You are always kind to others.

03 They work on Mondays and Wednesdays.

04 There are some books in the backpack.

05 Was she at the station then?

06 The boys chatted loudly in the classroom.

07 The tourists walked for a long time today.

08 Bill sat on the sofa without a word.

09 Are there bears in the mountains?

10 Rebecca slept during the movie.

B 둘 중 알맞은 것을 고르시오.

01 I spoke ○ calm ○ calmly .

02 She looked ○ different ○ differently today.

03 The weather is ○ cold ○ coldly .

04 They felt ○ warm ○ warmly inside.

05 Benny got ○ rich ○ to rich in his 20s.

06 The patient got ○ being sick ○ sick again.

07 There is ○ happy ○ happiness in their eyes.

08 The coffee tasted too ○ bitter ○ bitterly to me.

09 My sister became ○ a soccer player ○ as a soccer player .

10 Mr. Timmons grew ○ as old ○ old and ○ weak ○ weakly .

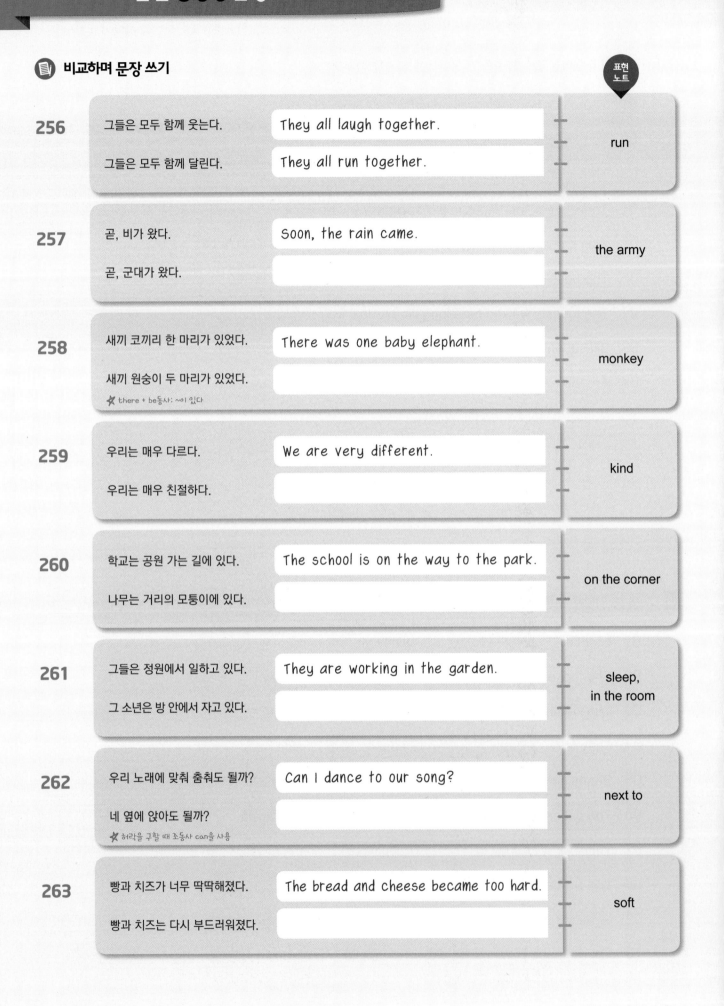

교과서에서 뽑은 *360*문장 마스터하기

비교하며 문장 쓰기

표현
노트

256
그들은 모두 함께 웃는다.
They all laugh together.

그들은 모두 함께 달린다.
They all run together.

run

257
곧, 비가 왔다.
Soon, the rain came.

곧, 군대가 왔다.

the army

258
새끼 코끼리 한 마리가 있었다.
There was one baby elephant.

새끼 원숭이 두 마리가 있었다.

monkey

★ there + be동사: ~이 있다

259
우리는 매우 다르다.
We are very different.

우리는 매우 친절하다.

kind

260
학교는 공원 가는 길에 있다.
The school is on the way to the park.

나무는 거리의 모퉁이에 있다.

on the corner

261
그들은 정원에서 일하고 있다.
They are working in the garden.

그 소년은 방 안에서 자고 있다.

sleep,
in the room

262
우리 노래에 맞춰 춤춰도 될까?
Can I dance to our song?

네 옆에 앉아도 될까?

next to

★ 허락을 구할 때 조동사 can을 사용

263
빵과 치즈가 너무 딱딱해졌다.
The bread and cheese became too hard.

빵과 치즈는 다시 부드러워졌다.

soft

📄 배열하여 문장 쓰기

264 그 아이들은 그에게 손을 흔들며 밝게 웃었다. (waved, the children, brightly, at, and, smiled, him)

The children waved and smiled at him brightly.

⭐ wave: 손을 흔들다

265 그와 그의 가족은 부산에 산다. (he, live, Busan, in, his family, and)

266 십 대들을 위한 특별한 장소가 있다. (teenagers, for, place, there, a, is, special)

267 그것은 그곳의 많은 물고기에게 먹이가 된다. (it, there, many fish, food, becomes, for)

268 너의 컵케이크는 훌륭해 보여. 냄새와 맛도 또한 훌륭해.
(your cupcake, great, great, looks, smells, tastes, it, and, too)

269 그는 야구팀을 위한 의사로 일한다. (works, for, he, a baseball team, a doctor, as)

⭐ work as: ~로서 일하다

270 바다 근처에 많은 논이 있었다. (there, rice fields, by, were, many, the sea)

[Self-Editing Checklist] ✅ 대·소문자를 바르게 썼나요? Y N   ✅ 철자와 문장 부호를 바르게 썼나요? Y N

I opened the door. 〈3형식〉

She wanted to talk **with me**. 〈3형식〉

Abe gave me a teddy bear. 〈4형식〉
　　　　간접목적어　직접목적어

Abe gave a teddy bear to me. 〈3형식〉
　　　　　직접목적어　　　간접목적어

3형식	주어 + 동사 + 목적어	
4형식	주어 + 동사 + 간접목적어(~에게) + 직접목적어(~을)	
4형식 → 3형식	주어 + 동사 + 간접목적어 + 직접목적어	
	→ 주어 + 동사 + 직접목적어 + 전치사 + 간접목적어	
	전치사 to를 쓰는 동사	give, send, sell, tell, show, bring, teach, write, pass, lend 등
	전치사 for를 쓰는 동사	buy, make, cook, get, find, build 등
	전치사 of를 쓰는 동사	ask 등

바로 개념

1 3형식: 「주어 + 동사 + 목적어」

2 4형식: 「주어 + 동사 + 간접목적어 + 직접목적어」, 이때 동사로는 목적어 두 개가 올 수 있는 동사를 써야 한다.

3 4형식 문장은 간접목적어와 직접목적어의 위치를 바꾸어 3형식으로 쓸 수 있다. 이때 필요한 전치사는 동사에 따라 다르다.

✅ **고르며 개념 확인**

Answers p. 21

01 His father bought a new bicycle ○ to 　○ for 　him.

02 She sends a text message ○ to 　○ for 　me every day.

03 Will you find a blue shirt ○ for 　○ of 　me?

04 Ms. Pearson teaches math ○ to 　○ for 　the students.

05 Please get some comic books ○ to 　○ for 　Christine.

06 The magician asked some questions ○ to 　○ of 　the children.

✏️ **쓰며 개념 정리**

07 나는 종이를 잘랐다.　　　　　　　　[　　　　　　　　　] (cut, I, the paper)

08 내가 그에게 이 모자를 만들어 주었다.　I [　　　　　　　　　]. (him, this hat, made, for)

09 Janice가 그 편지를 썼다.　　　　　　[　　　　　　　　　] (Janice, the letter, wrote)

10 할머니가 내게 이야기를 해 주셨다.　My grandma [　　　　　　　　　]. (me, a story, told)

11 그가 우리에게 사진을 보여주었다.　He [　　　　　　　　　]. (showed, to, photos, us)

12 Meg는 물을 마시고 싶어 했다.　　　[　　　　　　　　　] (water, Meg, wanted, to drink)

We call him Mr. D.
주어   동사   목적어   목적격 보어

The news made me happy.
주어   동사   목적어   목적격 보어

They chose Ms. Booker president.
주어   동사   목적어   목적격 보어

This scarf kept her warm.
주어   동사   목적어   목적격 보어

5형식 문장

주어	+	동사	+	목적어	+	목적격 보어

동사: call, name, make, find, keep, choose, paint 등

목적격 보어: 형용사 또는 명사

바로 개념

1 5형식: 「주어＋동사＋목적어＋목적격 보어」

2 목적격 보어는 목적어를 보충하거나 설명하는 말로, 형용사 또는 명사가 쓰인다.

✓ **고르며 개념 확인**

Answers p. 21

01 The tourists chose Andy ○ a guide   ○ to a guide .

02 Will swimming keep me ○ health   ○ healthy ?

03 Did you find the movie ○ interest   ○ interesting ?

04 My dog sometimes drives me ○ crazy   ○ crazily .

05 Ms. Clark named ○ John her baby   ○ her baby John .

06 The kids called ○ their grandfather Papa   ○ Papa their grandfather .

✎ **쓰며 개념 정리**

07 음악은 우리를 차분하게 만들 것이다. (make, calm)   Music will [*make us calm*] .

08 안전벨트는 여러분을 안전하게 지켜준다. (keep, safe)   The safety belts [ ] .

09 부부는 그들의 아들을 Ian이라고 이름 지었다. (name, son)   The couple [ ] .

10 그 소설은 나를 슬프게 했다. (make, sad)   The novel [ ] .

11 우리는 그 문제가 아주 쉽다는 것을 발견했다. (find, very)   We [ ] .

12 나는 지붕을 빨갛게 칠했다. (paint, the roof)   I [ ] .

개념 37 3형식과 4형식

1 3형식 문장은 동사의 목적어가 [　　　] 개이고, 4형식 문장은 동사의 목적어가 [　　　] 개이다.

2 4형식 문장은 3형식으로 바꿔 쓸 수 있다. 이때 동사에 따라 전치사 to, for, of 등을 사용한다.

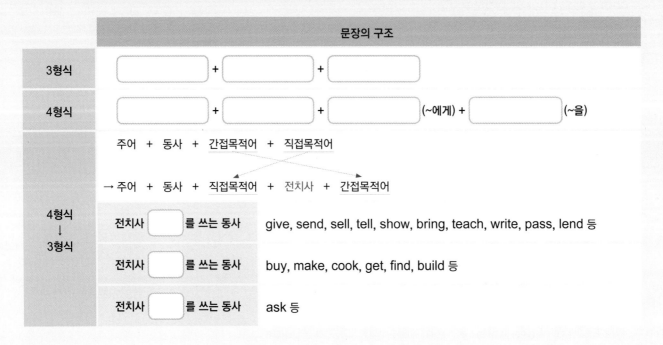

	문장의 구조
3형식	[　　　] + [　　　] + [　　　]
4형식	[　　　] + [　　　] + [　　　] (~에게) + [　　　] (~을)

주어 + 동사 + 간접목적어 + 직접목적어

→ 주어 + 동사 + 직접목적어 + 전치사 + 간접목적어

4형식 ↓ 3형식

전치사 [　] 를 쓰는 동사　give, send, sell, tell, show, bring, teach, write, pass, lend 등

전치사 [　] 를 쓰는 동사　buy, make, cook, get, find, build 등

전치사 [　] 를 쓰는 동사　ask 등

개념 38 5형식

5형식 문장의 형태

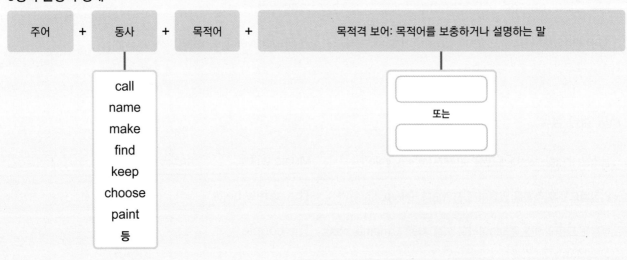

주어 + 동사 + 목적어 + 목적격 보어: 목적어를 보충하거나 설명하는 말

call
name
make
find
keep
choose
paint
등

[　　　]
또는
[　　　]

A 둘 중 알맞은 것을 고르시오.

01 He gave ○ me ○ me to a glass of cold water.

02 Could you lend the math textbook ○ to ○ for me?

03 Mary cooked a special dish ○ for ○ of her grandfather.

04 Mr. Jeong brought a bottle of wine ○ to ○ of her.

05 They found the place ○ beautiful ○ as beautiful and quiet.

06 Don't ask another question ○ to ○ of him.

07 I will buy ○ my sister ○ for my sister a new umbrella.

08 She told the story ○ to ○ of the audience.

09 Louis named his new car ○ Rider ○ of Rider .

10 Michael built the little cabin ○ to ○ for his daughter.

B 괄호 안의 말을 알맞게 배열하여 자연스러운 문장으로 완성하시오.

01 They [   ].
(the cave, called, "the door to Heaven")

02 The dog [   ].
(kept, warm, its babies)

03 My father [   ].
(the cat, made, a new toy)

04 We [   ].
(our, Ms. Brighton, new leader, chose)

05 He [   ].
(mad, made, his parents)

06 Van Gogh [   ].
(letters, lots of, to, sent, his brother)

07 The producer [   ].
(the girl, made, a famous singer)

📖 비교하며 문장 쓰기

271 나는 내일 피자를 만들 거야. | I will make pizza tomorrow.

나는 내일 삼촌을 방문할 거야. | I will visit my uncle tomorrow.

visit

272 그녀는 우리에게 빵을 좀 주었다. | She gave some bread to us.

그는 나에게 물을 좀 주었다. |

water

273 우리는 이 공원을 깨끗하게 유지해야 한다. | We must keep this park clean.

너는 네 방을 깔끔하게 유지해야 한다. |

tidy

274 이 이야기는 우리에게 중요한 교훈을 가르쳐 준다. | This story teaches us an important lesson.

그는 우리에게 재미있는 이야기를 들려준다. |

an interesting story

275 파티를 위해 내게 아이디어를 좀 더 줘. | Give me some more ideas for the party.

파티를 위해 그에게 의자 몇 개를 가져다 줘. |

✗ 명령문은 주어를 생략하고 동사로 시작

bring, some chairs

276 그는 그의 카메라로 사진을 찍는다. | He takes pictures with his camera.

나는 그 돈으로 우산을 하나 샀다. |

the money

277 그들의 미소는 그를 행복하게 했다. | Their smiles made him happy.

그들의 미소는 그녀를 놀라게 했다. |

surprised

278 나는 새벽 5시부터 농장에서 오렌지를 딴다. | I pick oranges on the farm from 5 a.m.

나는 새벽 5시부터 부엌에서 케이크를 굽는다. |

bake, in the kitchen

📖 조건에 맞게 문장 바꿔 쓰기

279

3형식으로
바꿔 쓰기

My dad gave me this album on my 13th birthday.

My dad gave this album to me on my 13th birthday.

280

3형식으로
바꿔 쓰기

New York will show you the real city life.

281

4형식으로
바꿔 쓰기

My mom always makes lunch for me.

282

3형식으로
바꿔 쓰기

Let's give them some gifts.

283

4형식으로
바꿔 쓰기

We brought a lot of food to them.

284

4형식으로
바꿔 쓰기

I will cook a nice meal for him tomorrow.

285

3형식으로
바꿔 쓰기

I'm going to tell you an important fact.

[Self-Editing Checklist] ✅ 대·소문자를 바르게 썼나요? Ⓨ Ⓝ   ✅ 철자와 문장 부호를 바르게 썼나요? Ⓨ Ⓝ

01 다음 중 문장의 형식이 나머지 넷과 <u>다른</u> 것은?

① Mark writes very well.

② Jonathan will sing today.

③ My cousin lives in the city.

④ There is a house in the forest.

⑤ He became a famous musician.

[02-03] 다음 중 밑줄 친 부분의 역할이 <u>다른</u> 것을 고르시오.

02 ① The cake smells <u>good</u>.

② I read <u>the book</u> yesterday.

③ James likes <u>you</u> very much.

④ The store doesn't sell <u>fruit</u>.

⑤ Jane plays <u>the guitar</u> very well.

03 ① This juice tastes <u>sweet</u>.

② The old man got <u>angry</u>.

③ My sister is <u>a math teacher</u>.

④ The boy ran <u>to the drugstore</u>.

⑤ Anna looked <u>tired</u> this morning.

04 다음 중 형식이 같은 문장끼리 짝지어진 것은?

ⓐ My friends call me Liz.

ⓑ The news made them happy.

ⓒ This color doesn't suit you.

ⓓ They named their baby Charlie.

ⓔ She bought a backpack for her son.

① ⓐ, ⓑ – ⓒ, ⓓ, ⓔ   ② ⓐ, ⓑ, ⓒ – ⓓ, ⓔ

③ ⓐ, ⓑ, ⓓ – ⓒ, ⓔ   ④ ⓐ, ⓒ – ⓑ, ⓓ, ⓔ

⑤ ⓐ, ⓓ, ⓔ – ⓑ, ⓒ

05 다음 중 밑줄 친 동사의 성격이 나머지 넷과 <u>다른</u> 것은?

① I <u>sent</u> my boss an email.

② Can you <u>show</u> me the way?

③ She <u>brought</u> the children a dog.

④ Mr. Wright <u>painted</u> the wall white.

⑤ The girl <u>asked</u> her parents a question.

06 다음 문장 중 어법상 <u>어색한</u> 것은?

① I didn't go to school today.

② Can you lend the book me?

③ I sent him some beautiful flowers.

④ Someone was standing on the street.

⑤ She gets up early every morning.

07 다음 문장의 빈칸에 들어갈 수 <u>없는</u> 것은?

There is _____ on the table.

① an apple   ② a hat   ③ a cat

④ some pizza   ⑤ some cookies

[08-09] 다음 우리말을 바르게 영작한 것을 고르시오.

08

그 소식은 나를 슬프게 했다.

① The news made sad me.

② The news made me sad.

③ The news did me to be sad.

④ The news became me sad.

⑤ The news became sad to me.

09

Andy는 고양이를 Max라고 이름 지었다.

① Andy named Max the cat.

② Andy named the cat Max.

③ Andy named the cat as Max.

④ Andy named as the cat Max.

⑤ Andy named Max to the cat.

10 다음 중 어법상 <u>어색한</u> 문장의 개수는?

• There was some mice in the hole.

• The bread got dry and hardly.

• Jane brought us to some fruit.

• Someone jumped into the water.

• Chris asked a question to the teacher.

• I will stay here for five days.

① 1개   ② 2개   ③ 3개   ④ 4개   ⑤ 5개

대표유형 03 2형식

11 다음 대화의 빈칸에 들어갈 수 <u>없는</u> 것은?

> **A** How do you feel today?
> **B** I feel _____.

① great   ② good   ③ tired
④ happily   ⑤ bad

12 다음 중 문장의 형식이 나머지 넷과 <u>다른</u> 것은?

① I tasted the wine.
② My mother sounded upset.
③ The dogs looked hungry.
④ This carpet feels so soft.
⑤ The food in the container smelled bad.

[13-14] 다음 중 어법상 <u>어색한</u> 것을 고르시오.

13 ① It is getting dark.
② These days he looked a little sadly.
③ Please be quiet in the library.
④ The dessert tasted sour and salty.
⑤ I played online games all day long.

14 ① That sounds funny!
② Do I look so pale?
③ I felt lonely at that time.
④ The candle smells sweet and fruity.
⑤ The boy felt coldly, so he closed the door.

15 다음 문장의 빈칸에 들어갈 수 <u>없는</u> 것은?

> Joey became _____.

① an actor   ② famous   ③ happy
④ a reporter   ⑤ carefully

대표유형 04 3형식과 4형식

16 다음 문장을 3형식으로 바르게 바꿔 쓴 것은?

> Romeo asked Juliet some questions.

① Romeo asked some questions Juliet.
② Romeo asked some questions for Juliet.
③ Romeo asked some questions of Juliet.
④ Juliet asked some questions for Romeo.
⑤ Juliet asked of Romeo some questions.

17 다음 문장 중 어법상 <u>어색한</u> 것은?

① Did you send a present to her?
② She bought her niece a pretty doll.
③ Ethan gave some postcards me.
④ I cooked delicious soup for my dad.
⑤ Mr. Kim told a story to the children.

18 다음 문장의 빈칸에 들어갈 수 <u>없는</u> 것은?

> John _____ some paintings to me.

① sold   ② gave   ③ found
④ showed   ⑤ brought

19 다음 문장과 의미가 통하는 것을 고르면?

> Sam lent his car to Minho.

① Sam lent his car Minho.
② Sam lent Minho his car.
③ Minho lent Sam his car.
④ Sam lent his car for Minho.
⑤ Minho lent his car with Sam.

20 우리말과 같도록 괄호 안의 말을 배열할 때 <u>네 번째</u>로 오는 것은?

> 점원은 내게 분홍색 운동화를 찾아 주었다.
> (the clerk, me, for, found, pink sneakers)

① the clerk   ② me   ③ for
④ found   ⑤ pink sneakers

Correct
or
Incorrect

	CORRECT	INCORRECT
1 문장에는 크게 다섯 가지의 형식이 있다.	○	○
2 보어로 쓰일 수 있는 말은 형용사와 부사이다.	○	○
3 「There + be동사」 구문의 주어는 There이다.	○	○
4 동사는 하나의 목적어만 필요로 한다.	○	○

	CORRECT	INCORRECT
5 The box kept the dog safe.	○	○
6 Can you bring some water me?	○	○
7 You look beautifully today.	○	○
8 There is some bread on the table.	○	○
9 I will ask some questions of you.	○	○

Answers p. 22

UNIT 11

비교 구문

핵심 개념 바로 확인　　　I know! ☺　No idea! ☹

✔ 형용사 · 부사의 비교급은 '더 ~한/하게'라는 의미이다.　☺　☹

✔ 형용사 · 부사의 최상급은 '가장 ~한/하게'라는 의미이다.　☺　☹

비교급과 최상급 만드는 법

I am shorter than her.

The bag is the largest one.

This is more interesting than that.

Ella is the most wonderful person.

Today was the worst day ever.

	원급	비교급	최상급
대부분의 형용사/부사	–	+-(e)r	+-(e)st
	short	shorter	shortest
	large	larger	largest
「단모음+단자음」으로 끝날 때	–	+마지막 자음+-er	+마지막 자음+-est
	big	bigger	biggest
「자음+-y」로 끝날 때	–	-y → -ier	-y → -iest
	happy	happier	happiest
3음절 이상 / -ful, -ous, -able, -less, -ing 등으로 끝날 때	–	more+원급	most+원급
	interesting	more interesting	most interesting
불규칙 변화	good / well	better	best
	bad / ill	worse	worst

바로 개념

1 어떤 대상이 다른 대상과 비교하여 '더 ~할' 때 비교급을 쓴다.

2 어떤 대상이 여럿 중 '가장 ~할' 때 최상급을 쓴다.

3 비교급은 대개 -(e)r 또는 more를, 최상급은 -(e)st 또는 most를 붙여 만든다.

✔ **고르며 개념 확인**

Answers p. 22

01 young – ○ younger   ○ youngger

02 difficult – ○ difficultest   ○ most difficult

03 fast – ○ faster   ○ more fast

04 good – ○ goodest   ○ best

05 hot – ○ hoter   ○ hotter

06 bright – ○ brighter   ○ brightter

07 easy – ○ easyer   ○ easier

08 heavy – ○ heavyer   ○ heavier

09 wise – ○ wisst   ○ wisest

10 colorful – ○ colorfulest   ○ most colorful

✏ **쓰며 개념 정리**

11 nice – nicer – nicest

12 hard – [   ] – hardest

13 beautiful – [   ] – most beautiful

14 cozy – [   ] – [   ]

15 thin – [   ] – [   ]

16 important – [   ] – [   ]

You are **as kind as** your brother.

Dolphins are **as smart as** chimpanzees.

He ran **as fast as** he could.
그는   달렸다   ~만큼 빠르게   그가 ~할 수 있었다

This room is **not as big as** mine.

Tony doesn't **get up so early as** Claire.

원급 비교 긍정	A ~ as + 원급 + as + B
	A가 B만큼 ~하다
원급 비교 부정	A ~ not ... as [so] + 원급 + as + B
	A는 B만큼 ~하지 않다

바로 개념

1 원급 비교는 형용사 · 부사의 원급을 사용하여 두 대상의 특정한 성질이 같음을 나타내는 것이다.
2 원급 비교는 「as + 원급 + as」의 형태로 쓴다.
3 원급 비교의 부정은 「not ... as [so] + 원급 + as」의 형태로 쓴다.

✓ 고르며 개념 확인

Answers p. 22

01   John is as   ○ old   ○ tall   as Chris.

02   Chris is   ○ as   ○ not so   old as Amy.

03   Amy is not as   ○ old   ○ tall   as Chris.

04   John is   ○ as   ○ not so   old as Amy.

John   Amy   Chris

(15세, 170cm)   (17세, 162cm)   (17세, 170cm)

✏️ 쓰며 개념 정리

05   그 운동화는 내 구두만큼 비싸다. (expensive)   The sneakers are [*as expensive as*] my shoes.

06   그 돼지는 나의 개만큼 빨리 배운다. (fast)   The pig learns [   ] my dog does.

07   이 케이크는 저것만큼 맛있지 않다. (delicious)   This cake is not [   ] that one.

08   그녀는 할 수 있는 한 천천히 말했다. (slowly)   She talked [   ] she could.

09   이 수건은 보이는 것처럼 부드럽다. (soft)   This towel feels [   ] it looks.

10   극장은 매점만큼 붐비지 않았다. (crowded)   The theater was [   ] the cafeteria.

개념 39 비교급과 최상급 만드는 법

1 형용사 · 부사의 비교급과 최상급은 서로 다른 대상의 성질이나 수량 등을 비교하기 위해 사용한다.

2 비교급은 형용사 · 부사에 [   ] 또는 more를 붙여 만든다. '더 ~한/하게'라는 뜻이다.

3 최상급은 형용사 · 부사에 [   ] 또는 most를 붙여 만든다. '가장 ~한/하게'라는 뜻이다.

	원급	비교급	최상급
	–	+-(e)r	+-(e)st
대부분의 형용사/부사	kind		
	nice		
「단모음＋단자음」으로 끝날 때	–	+마지막 자음+-er	+마지막 자음+-est
	thin		
「자음＋-y」로 끝날 때	–	-y → -ier	-y → -iest
	easy		
3음절 이상 / -ful, -ous, -able, -less, -ing 등으로 끝날 때	–	more+원급	most+원급
	dangerous		
불규칙 변화	good / well		
	bad / ill		
	little	less	least
	many / much	more	most

개념 40 원급 비교

1 형용사 · 부사의 [   ]을 사용하여 두 대상의 특정한 성질이 같음을 나타내는 것을 원급 비교라 한다.

2 원급 비교는 「[   ] + 원급 + [   ]」로 쓰고, '~만큼 …하다'로 해석한다.

3 원급 비교의 부정은 「not … [   ] + 원급 + [   ]」로 쓰고, '~만큼 …하지 않다'로 해석한다.

원급 비교 긍정	*A* ~ as + 원급 + as + *B*	A가 B만큼 ~하다
	This dog is [ ] my rabbit.	이 개는 나의 토끼만큼 빠르다.
원급 비교 부정	*A* ~ not … as [so] + 원급 + as + *B*	A는 B만큼 ~하지 않다
	This dog is [ ] a cheetah.	이 개는 치타만큼 빠르지 않다.

A 다음 빈칸에 알맞은 비교급 또는 최상급을 쓰시오.

01 wise — [   ] — wisest

02 dirty — dirtier — [   ]

03 fat — [   ] — fattest

04 slow — slower — [   ]

05 fine — [   ] — finest

06 heavy — [   ] — heaviest

07 comfortable — more comfortable — [   ]

08 many — [   ] — most

09 brave — braver — [   ]

10 exciting — [   ] — [   ]

B 다음 우리말에 맞게 빈칸에 알맞은 말을 쓰시오.

01 네 인형이 내 것보다 더 예쁘다. (pretty)

➜ Your doll is [   ] than mine.

02 그 쿠키는 초콜릿보다 더 달콤하다. (sweet)

➜ The cookies are [   ] than chocolate.

03 이 차는 저 차만큼 빨리 달릴 수 있다. (fast)

➜ This car can run as [   ] as that one.

04 이 연필은 저 펜만큼 비싸지 않다. (expensive)

➜ This pencil is not so [   ] [   ] that pen.

05 새 가방은 예전 가방만큼 유용하지 않다. (useful)

➜ The new bag is [   ] [   ] [   ] as the old one.

06 그 모자는 깃털처럼 가볍게 느껴진다. (light)

➜ The hat feels [   ] [   ] [   ] a feather.

07 그녀는 학교에서 나보다 더 인기가 있다. (popular)

➜ She is [   ] [   ] than me at school.

📖 비교하며 문장 쓰기

표현 노트

286

나는 도훈이보다 키가 크다.

I am taller than Dohun.

나는 도훈이보다 어리다.

I am younger than Dohun.

young

287

Ted는 Matt보다 작다.

Ted is smaller than Matt.

Ted는 Matt보다 착하다.

nice

288

우리는 더 따뜻한 나라로 이동한다.

We move to a warmer country.

우리는 더 추운 나라로 이동한다.

cold

289

그것은 피자보다 낫다.

It's better than pizza.

그것은 피자보다 맛있다.

delicious

290

Sam은 가장 큰 다이아몬드를 얻었다.

Sam won the biggest diamond.

Jack은 가장 작은 루비를 얻었다.

small, ruby

291

Nicole은 가장 행복한 미소를 지었다.

Nicole smiled the happiest smile.

Nicole은 가장 아름다운 미소를 지었다.

beautiful

292

그 지도는 창문만큼 크다.

The map is as large as the window.

그 지도는 문만큼 크지 않다.

✱ 원급 비교의 부정

the door

293

그것은 치타만큼 빠르다.

It is as fast as a cheetah.

그것은 거북이만큼 느리다.

a turtle

📖 배열하여 문장 쓰기

294
서울은 한국에서 가장 큰 도시이다. (is, Seoul, the largest, in Korea, city)

> Seoul is the largest city in Korea.

295
우리는 구름만큼 높이 난다. (the clouds, we, as, fly, as, high)

296
풍경이 환상적이어서 나는 기분이 더 좋았다. (was, so, felt, the view, better, I, fantastic)

297
그것은 바람만큼 빨리 달릴 수 있다. (it, can, the wind, fast, as, run, as)

298
나는 더 적게 말하고 더 많이 들을 것이다. (less, more, I, will, and, listen, talk)

299
John은 그의 반에서 가장 키가 큰 소년이다. (John, in his class, the tallest, is, boy)

300
필통은 바구니만큼 크지 않다. (not, the pencil case, is, as, as, the basket, big)

[Self-Editing Checklist] ✔ 대·소문자를 바르게 썼나요? Ⓨ Ⓝ   ✔ 철자와 문장 부호를 바르게 썼나요? Ⓨ Ⓝ

The airplane is faster than the train.
비행기는　　　～이다 더 빠른 ～보다　　기차

The box is lighter than my bag.
그 상자는　　～이다 더 가벼운 ～보다　내 가방

This book is more difficult than that one.
이 책은　　～이다　　더 어려운　　～보다　　저것

My sister works much harder than I do.
나의 언니는　　　일한다　　훨씬 더 열심히　　～보다 내가 하다

비교급을 사용한 비교

| 비교급 | + | than | + | 비교 대상 |

비교급의 강조

| much / even / far / a lot | + | 비교급 |

바로 개념

1 두 대상을 비교하여 어느 한 쪽의 정도가 높을 때 비교급을 쓴다.

2 비교급을 사용해 두 대상을 비교할 때 「A ~ 비교급 + than + B」로 쓴다. 이때 A와 B는 성질이 동등해야 한다.

3 비교급을 강조할 때 앞에 much, even, far, a lot 등을 써서 '훨씬'이라는 의미를 나타낸다. (*cf.* very, too 등: 원급 강조)

✅ **고르며 개념 확인**

Answers p. 23

01 Gold is more expensive ○ than   ○ as   silver.

02 I felt worse ○ than   ○ as   before.

03 This color is ○ bright   ○ brighter   than that one.

04 The novel is ○ more interesting   ○ most interesting   than the movie.

05 I can swim ○ very   ○ much   better than you.

06 This bag is bigger than ○ my   ○ mine   .

✏️ **쓰며 개념 정리**

07 나는 그보다 더 부지런하다. (diligent)   I am   *more diligent than*   him.

08 내 차가 너의 것보다 더 새 것이다. (new)   My car is   　　　　 yours.

09 인간이 동물보다 더 중요한가? (important)   Are humans   　　　　 animals?

10 그녀가 그 코미디언보다 훨씬 더 웃기다. (funny)   She is even   　　　　 the comedian.

11 편지가 선물보다 더 늦게 도착했다. (late)   The letter arrived   　　　　 the present.

12 오늘은 어제보다 훨씬 더 따뜻하다. (warm)   Today is much   　　　　 yesterday.

This is the most expensive **vase.**
이것은 ~이다   가장 비싼   꽃병

Rabbits are the cutest **of all animals.**
토끼는   ~이다   가장 귀여운   모든 동물 중에서

He is one of the fastest **people in the world.**
그는 ~이다 ~중의 하나   가장 빠른   사람들   세상에서

I am the tallest **student in my class.**
나는 ~이다 가장 키 큰   학생   나의 반에서

= I am taller than any other student in my class.
나는 ~이다 더 키 큰 ~보다   다른 어떤 학생   나의 반에서

최상급을 사용한 비교

┌── ~ 중에서 ──┐
the + 최상급 ~ + of + 복수 명사

┌── ~에서 ──┐
the + 최상급 ~ + in + 장소 / 집단

┌──── 가장 ~한 ··· 중 하나 ────┐
one + of + the + 최상급 + 복수 명사

바로 개념

1 최상급은 여럿 중 가장 정도가 높은 것에 관해 말할 때 쓴다.
2 최상급 앞에는 대개 the를 쓴다.
3 뒤에 비교 범위인 장소나 집단을 나타내는 전치사구가 올 수 있다.

✔ 고르며 개념 확인

Answers p. 23

01 Mary is the ◯ younger ◯ youngest of the four girls.

02 Iron is the ◯ more useful ◯ most useful of all metals.

03 The building is ◯ higher ◯ the highest in my town.

04 Dean was ◯ better ◯ the best than any other actor in that movie.

05 Bill Gates is one of the most famous ◯ person ◯ people in the world.

06 This room is the most beautiful ◯ of ◯ in this house.

✏ 쓰며 개념 정리

07 February is [the shortest] of all the months. (short)

08 Alaska is [ ] state in the U.S. (big)

09 Anna is [ ] singer of them. (good)

10 Dogs are one of [ ] animals to people. (friendly)

11 You usually walk [ ] than your friends. (fast)

12 That shirt is [ ] item in this store. (cheap)

개념 41　비교급 비교

1 두 대상을 비교하여 어느 한 쪽의 정도가 높을 때 [　　　　　]을 쓴다.

2 비교급을 사용해 두 대상을 비교할 때 「A ~ 비교급 + [　　　　　] + B」로 쓴다. 이때 A와 B는 성질이 동등해야 한다.

3 비교급을 강조할 때 앞에 much, even, far, a lot 등을 써서 '훨씬'이라는 의미를 나타낸다. 부사 very나 too는 비교급 앞에 쓰지 않는다.

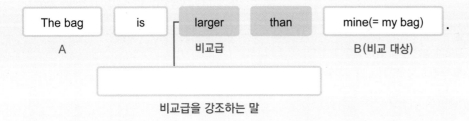

| The bag | is | larger | than | mine(= my bag) |
| A | | 비교급 | | B(비교 대상) |

비교급을 강조하는 말

개념 42　최상급 비교

1 최상급은 여럿을 서로 비교하여 그 중 가장 정도가 높은 것에 관해 말할 때 쓴다.

2 최상급 앞에는 대개 [　　　　　]를 쓴다.

3 뒤에 비교 범위인 장소나 집단을 나타내는 전치사구가 올 수 있다.

최상급의 쓰임	의미
the + 최상급 + of + 복수 명사	
the + 최상급 + in + 장소 / 집단	
one + of + the + 최상급 + 복수 명사	

A 괄호 안의 단어를 비교급 또는 최상급으로 알맞게 변형하여 빈칸에 쓰시오.

01 My cat is [   ] than my dog. (clever)

02 An umbrella is [   ] than a raincoat. (useful)

03 The blouse is [   ] in this store. (expensive)

04 Science was a lot [   ] than math for me. (easy)

05 Dami is [   ] cook of all the club members. (good)

06 Mt. Everest is [   ] mountain in the world. (high)

07 The hotel room was [   ] than I expected. (bad)

08 China is even [   ] than Australia. (big)

09 Baseball is one of [   ] sports in Korea. (popular)

10 The stranger talked to me [   ] than my friends. (kindly)

B 괄호 안의 정보를 이용하여 질문에 완전한 문장으로 답하시오.

01 **Q** Which is the longest river in the world, the Amazon or the Nile?

A [   ] (the Nile)

02 **Q** Which is the largest country in the world, Russia or India?

A [   ] (Russia)

03 **Q** Who eats more junk food, John or Bill?

A [   ] (Bill)

04 **Q** What is the heaviest animal on Earth?

A [   ] (the blue whale)

05 **Q** What is the smallest country in the world?

A [   ] (Vatican City)

06 **Q** Which does Julie like more, pasta or pizza?

A [   ] (pizza)

📖 **비교하며 문장 쓰기**

표현
노트

301

그녀는 너보다 키가 크다.

She is taller than you.

그녀는 가장 키 큰 소녀이다.

She is the tallest girl.

girl

302

건강은 돈보다 중요하다.

Health is more important than money.

건강은 가장 중요한 것이다.

thing

303

수박은 사과보다 크다.

Watermelons are bigger than apples.

수박은 가장 큰 과일이다.

fruit

304

이 책은 저것보다 인기 있다.

This book is more popular than that one.

이 책은 십 대들 사이에서 가장 인기 있다.

among teens

305

돌은 물보다 무겁다.

Stones are heavier than water.

그 돌은 이 정원에서 가장 무겁다.

the stone,
this garden

306

오늘은 어제보다 춥다.

Today is colder than yesterday.

오늘은 올해 가장 추운 날이다.

of the year

307

Robert는 그들보다 더 유명한 배우이다.

Robert is a more famous actor than them.

Robert는 그들 중 가장 유명한 배우이다.

✗ 최상급 문장에서 집단 표현 주의하기

of

308

너는 나보다 힘이 세다.

You are stronger than me.

너는 우리 학교에서 가장 힘이 세다.

our school

📖 **배열하여 문장 쓰기**

309 수학은 내게 과학보다 어렵다. (math, difficult, is, than, for, me, more, science)

> Math is more difficult than science for me.

310 그것은 무지개보다 훨씬 더 색이 다양하다. (it, than, colorful, a rainbow, is, more, much)

311 너는 우리 반에서 가장 친절한 학생이야. (in, you, our class, the kindest, are, student)

312 두 번째 숫자는 첫 번째보다 크다. (bigger, the first, the second, is, number, than)

313 이 수학 문제는 이 책에서 가장 쉬운 것이다. (this, one, in this book, the easiest, math problem, is)

314 Sally는 그녀의 친구들보다 더 빨리 헤엄쳤다. (Sally, faster, than, friends, swam, her)

315 분홍색 가방은 이 가게에서 가장 비싼 가방이다. (is, in, the most, bag, the pink bag, expensive, this shop)

[Self-Editing Checklist] ✔ 대·소문자를 바르게 썼나요? Ⓨ Ⓝ ✔ 철자와 문장 부호를 바르게 썼나요? Ⓨ Ⓝ

대표유형 01 비교급과 최상급의 형태

01 다음 중 형용사와 그 비교급이 잘못 짝지어진 것은?

① thin — thinner
② slow — slower
③ scary — scarier
④ exciting — excitinger
⑤ important — more important

02 다음 중 비교 변화가 잘못된 것은?

① little — less — least
② noisy — noisyer — noisyest
③ smart — smarter — smartest
④ easily — more easily — most easily
⑤ famous — more famous — most famous

03 다음 대화의 밑줄 친 단어의 형태로 바른 것은?

> **A** Are you okay now?
> **B** Yes, I feel good than yesterday.

① good
② gooder
③ better
④ best
⑤ more good

04 다음 중 짝지어진 두 단어의 관계가 나머지 넷과 다른 것은?

① hotter — hottest
② taller — tallest
③ well — worst
④ saltier — saltiest
⑤ more helpful — most helpful

대표유형 02 원급 비교 문장의 형태

05 다음 문장의 빈칸에 들어갈 말로 알맞은 것은?

> This box is as _____ as a leaf.

① light
② lighter
③ lightest
④ lights
⑤ more light

06 다음 문장 중 어법상 어색한 것은?

① I am as healthy as my father.
② He walked as slowly as he could.
③ You're not as lazy so others.
④ The tree is as tall as my mother.
⑤ I don't like the song as much as you.

07 다음 문장의 빈칸에 들어갈 말로 어색한 것은?

> Soccer is as _____ as baseball.

① hard
② exciting
③ boring
④ sport
⑤ interesting

대표유형 03 원급 비교 문장의 의미

08 다음 문장과 의미가 가장 가까운 것은?

> Bill is not so funny as Tom.

① Bill is as funny as Tom.
② Tom is as funny as Bill.
③ Bill is funnier than Tom.
④ Tom is funnier than Bill.
⑤ Tom is more boring than Bill.

09 다음 그림의 내용과 일치하는 것은?

① The apple is bigger than the pear.
② The apple is as big than the pear.
③ The apple is as big as the pear.
④ The pear is big as the apple is.
⑤ The pear is not so big as the apple.

10 다음 우리말을 바르게 영작한 것은?

> Amber는 나만큼 조심스럽지 않다.

① Amber is not so careful for me.
② Amber is not as careful as me.
③ Amber is as careful as not me.
④ Amber is more careful than me.
⑤ I am not so careful as Amber.

대표유형 04 비교급 표현의 이해

11 다음 문장의 빈칸에 가장 알맞은 것은?

> Mt. Halla is higher _____ Mt. Seorak.

① as   ② than   ③ so
④ to   ⑤ more

[12-13] 다음 중 어법상 어색한 문장을 모두 고르시오.

12 ① Your shirt is older than I do.
② Cathy is as smart as him.
③ Time is more important than anything.
④ She is always most cheerful than us.
⑤ This place is more beautiful than I thought.

13 ① It is the darkest hour of the day.
② The cat was smaller than the rabbit.
③ Is today more hotter than yesterday?
④ The pig was fatter than the other ones.
⑤ I like cucumbers more to carrots.

14 다음 우리말과 같은 뜻이 되도록 빈칸에 알맞은 말을 고르면?

> Robin은 그의 아버지보다 더 유명하다.
> ➡ Robin is _____ his father.

① as famous as   ② famous than
③ more famous   ④ more famous than
⑤ the most famous of

대표유형 05 비교급의 강조

15 다음 문장의 빈칸에 들어갈 말로 어색한 것은?

> This test was _____ more difficult than the last one.

① even   ② a lot   ③ far
④ too   ⑤ much

16 다음 우리말과 같은 뜻이 되도록 주어진 말을 배열할 때 다섯 번째로 오는 것은?

> Jamie는 나보다 한국어를 훨씬 더 잘 한다.
> (Jamie, Korean, even, speaks, than, better, do, I)

① speaks   ② Korean   ③ even
④ better   ⑤ I

대표유형 06 최상급 표현의 이해

17 다음 문장의 빈칸에 가장 알맞은 말은?

> Olivia is _____ artist in the world.

① a more talented   ② a most talented
③ the most talented   ④ as talented as
⑤ not so talented as

18 다음 문장의 빈칸에 들어갈 말로 어색한 것은?

> It is _____ building in my town.

① the newest   ② the oldest   ③ a lot taller
④ the smallest   ⑤ the most beautiful

19 다음 표의 내용과 일치하는 문장을 모두 고르면?

	Sam	Kevin	David
Height	170 cm	165 cm	176 cm
Weight	55 kg	60 kg	68 kg

① Sam is taller than Kevin.
② David is taller than Sam.
③ Kevin is lighter than Sam.
④ Sam is the heaviest of the three.
⑤ David is the tallest of the three.

20 다음 문장 중 어법상 어색한 것은?

① January is the coldest month.
② It's the quietest place in the city.
③ It is the nearest library from here.
④ This lake is the deepest in the world.
⑤ Chris is one of the busiest person in our company.

Correct

or **?**

Incorrect

바로 개념 확인

		CORRECT	INCORRECT
1	어떤 대상이 여럿 중 '가장 ~할' 때 최상급을 쓴다.	○	○
2	대부분의 형용사와 부사의 비교급은 -(e)r을 붙여 만든다.	○	○
3	비교급을 강조할 때 앞에 much, very 등을 쓴다.	○	○
4	최상급 앞에는 반드시 the를 써야 한다.	○	○

바로 문장 확인

		CORRECT	INCORRECT
5	I was as happy as you were.	○	○
6	Today is best day in my life.	○	○
7	They worked even harder than we did.	○	○
8	His joke did not sound as funny as yours.	○	○
9	I am one of the fastest runner on my team.	○	○

Answers p. 24

UNIT 12

접속사와 전치사

핵심 개념 바로 확인

I know! ☺   No idea! ☹

- ✔ 접속사는 문장 성분을 연결할 때 사용한다.   ☺ ☹
- ✔ 전치사는 명사나 대명사 앞에 쓰여 시간, 위치, 방향 등을   ☺ ☹
  나타낸다.

Julie and I are walking on the street.

My sister is kind, smart, and honest.

He works very hard, but he doesn't like his job.

You can go home or stay here.

Which is your coat, this one or that one?

| A | and
그리고 | B |

| A | but
그러나 | B |

| A | or
또는 | B |

**바로
개념**

1 등위접속사는 같은 성격의 문장 성분을 잇는 접속사로 and, but, or 등이 있다.
2 and는 '그리고'라는 뜻이며, 세 개 이상의 것을 나열할 때에는 「A, B, ..., and C」로 쓴다.
3 but은 '그러나'라는 뜻으로, 서로 대조되는 내용을 연결한다.
4 or는 '또는'이라는 뜻으로, 선택의 의미를 나타낸다.

✓ 고르며 개념 확인

Answers p. 25

01 춥고 습했다.

It was cold ○ and ○ or wet.

02 우리는 노래하고 춤췄다.

We sang ○ and ○ but danced.

03 나는 피곤했지만 행복했다.

I was tired, ○ and ○ but I was happy.

04 Mike나 Mia가 너를 도와줄 것이다.

Mike ○ but ○ or Mia will help you.

05 당신은 커피 또는 차를 마실 수 있습니다.

You can drink coffee ○ and ○ or tea.

06 그는 책을 샀지만 읽지 않았다.

He bought books ○ or ○ but didn't read them.

07 나는 사과, 배, 그리고 포도를 샀다.

I bought apples, pears, ○ and ○ or grapes.

✎ 쓰며 개념 정리

08 우리는 집에 머무르며 숙제를 했다.

We stayed home [   ] did our homework.

09 그것은 냄새가 좋지 않지만 맛있다.

It doesn't smell good, [   ] it's delicious.

10 그녀는 아마 감독이나 작가일 것이다.

She may be a director [   ] a writer.

11 현금 또는 신용카드로 결제할 수 있습니다.

You can pay by cash [   ] credit card.

12 더웠지만 나는 창문을 닫았다.

It was hot, [   ] I closed the window.

개념 44 종속접속사 that

It is certain <u>that he cares for others</u>.
가주어   진주어

The fact is that you did not pass the exam.

I think (that) friendship is important.

They knew (that) Joey was lying.

I'm sorry (that) I didn't finish the report.

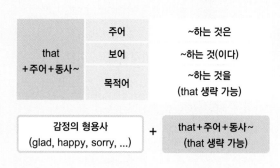

that +주어+동사~	주어	~하는 것은
	보어	~하는 것(이다)
	목적어	~하는 것을 (that 생략 가능)

감정의 형용사 (glad, happy, sorry, ...) + that+주어+동사~ (that 생략 가능)

바로 개념

1 종속절을 주절에 이어주는 역할을 하는 접속사를 종속접속사라고 한다.

2 종속접속사 that이 이끄는 절은 명사처럼 쓰여 문장에서 주어, 보어, 목적어 등의 역할을 한다.

3 that이 이끄는 절이 주어 역할을 할 때, 보통 가주어 it을 주어 자리에 쓰고 that절을 문장의 뒤에 쓴다.

4 that이 이끄는 절이 목적어 역할을 할 때, 또는 감정의 형용사 뒤에 올 때 that을 생략할 수 있다.

✔ 고르며 개념 확인 밑줄 친 부분의 역할 고르기

Answers p. 25

01 It is true <u>that Jane likes you</u>. ○ 주어   ○ 보어   ○ 목적어

02 We believe <u>that you did a good job</u>. ○ 주어   ○ 보어   ○ 목적어

03 I think <u>that the movie is great</u>. ○ 주어   ○ 보어   ○ 목적어

04 The truth is <u>that the thief disappeared</u>. ○ 주어   ○ 보어   ○ 목적어

05 <u>That Alex moved to another city</u> is surprising. ○ 주어   ○ 보어   ○ 목적어

✎ 쓰며 개념 정리

06 내가 모임에 갈 수 없어서 미안하다.　　I'm sorry (that) I can't come to the meeting.

07 그들은 시험이 매우 어려웠다고 생각한다.　　[   ] the test was very difficult.

08 사실은 그 차가 내 개를 치었다는 것이다.　　[   ] the car hit my dog.

09 그녀는 머리가 아프다고 말했다.　　[   ] she had a headache.

10 지구가 둥글다는 것은 진실이다.　　It [   ] the Earth is round.

11 나는 네가 경연 대회에서 우승해서 기쁘다.　　[   ] you won the contest.

12 그가 우리 동아리에 가입하는 것은 가능하다.　　It [   ] he will join our club.

개념 43 등위접속사 and, but, or

1 등위접속사는 같은 성격의 문장 성분을 잇는 접속사로, and, but, or 등이 있다.

2 and는 '☐☐☐☐☐'라는 의미로 쓰인다. 세 개 이상을 나열할 때에는 「A, B, ..., and C」로 쓴다.

3 but은 '☐☐☐☐☐'라는 의미이며 서로 대조되는 내용을 연결한다.

4 or는 '☐☐☐☐☐'이라는 의미이며 선택을 나타낸다.

and	*A* and *B* / *A*, *B*, ..., and *C*
	A와 B / A, B, ..., ☐☐☐☐ C
but	*A* but *B*
	A ☐☐☐☐ B
or	*A* or *B*
	A ☐☐☐☐ B

개념 44 종속접속사 that

1 종속절을 주절에 이어주는 역할을 하는 접속사를 종속접속사라고 한다.

2 종속접속사 that이 이끄는 절은 문장에서 주어, ☐☐☐☐☐, ☐☐☐☐☐ 등의 역할을 한다.

3 that이 이끄는 절이 주어 역할을 할 때, 보통 가주어 ☐☐☐☐☐을 주어 자리에 쓰고 that절을 문장의 뒤에 쓴다.

4 that이 이끄는 절이 목적어 역할을 할 때, 또는 감정을 나타내는 형용사 뒤에 올 때 that을 ☐☐☐☐☐할 수 있다.

that +주어+동사~	주어	~하는 것은	It is surprising ☐☐☐☐ Mason didn't hear the news.
	보어	~하는 것(이다)	The truth is ☐☐☐☐ the man stole my wallet.
	목적어	~하는 것을 (that 생략 가능)	He thought ☐☐☐☐ Ella had to be kind to them.
감정의 형용사 + that+주어+동사~		~해서 …한 (that 생략 가능)	I'm sorry ☐☐☐☐ I can't help you.

A 둘 중 알맞은 것을 고르시오.

01 Mr. Winter is very gentle ○ and   ○ but   kind.

02 They thought ○ and   ○ that   the building would fall down shortly.

03 Which do you want to have, tea ○ and   ○ or   coffee?

04 Can you bring me some cheese, bread, ○ and   ○ but   apples?

05 My sister ○ and   ○ but   I visited the museum yesterday.

06 Some people said ○ but   ○ that   Sam was hiding in this town.

07 It is certain ○ that   ○ or   the weather will be bad tomorrow.

08 His clothes were old ○ and   ○ but   very neat.

09 I said hello to Yuna, ○ but   ○ or   she didn't answer.

10 Will you go there by bus ○ but   ○ or   by subway?

B 다음 우리말에 맞게 빈칸에 알맞은 말을 쓰시오.

01 그 끈은 칼이나 가위로 잘라야 한다.

→ You should cut the rope with a knife [   ] scissors.

02 나는 방을 청소하고 설거지를 했다.

→ I cleaned the room [   ] washed the dishes.

03 네 생일을 잊어서 미안해.

→ I'm sorry [   ] I forgot your birthday.

04 그 소년은 키가 작지만 매우 빨리 달린다.

→ The boy is short [   ] runs very fast.

05 너는 Brian이 입원해 있다는 걸 아니?

→ Do you know [   ] Brian is in the hospital?

06 진실은 우리가 서로에게 솔직하지 않았다는 것이다.

→ The truth is [   ] we were not honest to each other.

07 그는 착한 사람이지만, 다른 사람들에게 친절하지 않다.

→ He is a good person, [   ] he is not friendly to others.

비교하며 문장 쓰기

표현
노트

316

Tom은 웃으며 물었다.

Tom smiled and asked.

Tom은 울면서 소리쳤다.

Tom cried and shouted.

shout

317

그와 그의 가족은 부산에 산다.

He and his family live in Busan.

내 친구들과 나는 서울에 있다.

friends

318

그는 책을 읽지는 않지만, 여러분의 마음을 읽는다.

He doesn't read books, but he reads your mind.

나는 그를 알지 못하지만, 너를 안다.

know

319

조용히 하고 앉으세요!

Be quiet and sit down!

잘 듣고 물음에 답하세요.

carefully, the question

320

나는 내가 행복을 퍼뜨릴 수 있다고 생각한다.

I think that I can spread happiness.

그는 그가 모든 것을 바꿀 수 있다고 생각한다.

change

321

우리는 그것이 훌륭한 아이디어라고 생각했다.

We thought that it was a great idea.

그녀는 그것이 흥미로운 아이디어라고 말했다.

say, interesting

322

그들은 고양이가 그들의 배를 지켜준다고 믿는다.

They believe that a cat protects their ship.

나는 나의 개가 우리 집을 지켜준다고 생각한다.

think, protect, our house

323

사람들은 공원에서 휴식하거나 운동을 한다.

People relax or exercise at the park.

나는 공원에서 운동을 하거나 음악을 듣는다.

exercise, listen to music

📖 **배열하여 문장 쓰기**

324
많은 사람들이 여기를 방문해서 이 정원의 아름다움을 즐긴다.
(many people, enjoy, visit, and, here, this garden, the beauty of)

Many people visit here and enjoy the beauty of this garden.

325
나는 가족이 많지만, 나의 집은 매우 작다. (a big family, so, I, is, my house, but, have, small)

✗ have a big family: 가족이 많다

326
나는 동쪽으로 가서 더 많은 물고기를 발견했다. (found, to the east, I, and, more fish, went)

327
나는 책을 도서관에 놓고 온 것 같아. (in the library, I, that, left, I, think, my book)

328
고래는 물고기처럼 보이고 헤엄치지만, 전혀 물고기가 아니다.
(at all, but, look, and, whales, like fish, they, fish, aren't, swim)

✗ look like: ~처럼 보이다, not ~ at all: 전혀 ~가 아니다

329
많은 사람들이 우리는 그것을 할 수 없다고 말했다. (said, we, do, many people, that, couldn't, it)

330
여러분은 여러분의 집, 학교, 또는 공동체에서 다른 문화를 체험합니까?
(experience, do, your home, school, you, different cultures, or, in, community)

[Self-Editing Checklist] ✔ 대 · 소문자를 바르게 썼나요? Y N ✔ 철자와 문장 부호를 바르게 썼나요? Y N

When Tony called me, I was watching TV.

= I was watching TV when Tony called me.

I turned off the lights before I left the room.

After Rose read the book, she gave it to Colin.

When you show your ID, you will get a ticket.
시간을 나타내는 부사절에서 미래를 나타낼 때 현재 시제 사용

when	~할 때
before	~ 전에
after	~ 후에

주어 + 동사	when / before / after	주어 + 동사

When / Before / After	주어 + 동사	,	주어 + 동사

바로 개념

1 종속접속사 when, before, after는 시간을 나타내는 부사절을 이끈다.

2 시간을 나타내는 부사절에서는 현재 시제로 미래를 나타낸다.

3 부사절은 주절 앞에 쓰이거나 뒤에 쓰일 수 있다.

고르며 개념 확인

Answers p. 25

01 Kate was very small ◯ when   ◯ that   she was born.

02 They went fishing every day ◯ when   ◯ before   they were children.

03 ◯ Before   ◯ After   I read the book, I'll read it again.

04 ◯ When   ◯ After   I got home, my brother wasn't there.

05 Wash vegetables carefully ◯ before   ◯ after   you eat them.

06 ◯ Before   ◯ After   you exercise and sweat, you should take a shower.

쓰며 개념 정리

07 나는 어렸을 때 도시에 살았다.   I lived in a city | when | I was young.

08 그는 TV를 보기 전에 방을 청소했다.   He cleaned his room | | he watched TV.

09 Dana는 양치를 한 뒤 잠자리에 들었다.   Dana went to bed | | she brushed her teeth.

10 너는 그 문을 열면 놀라게 될 거야. | | you open the door, you will be surprised.

11 그녀는 출근하기 전에 커피를 마신다.   She drinks coffee | | she goes to work.

12 내가 그를 봤을 때 그는 벤치에 앉아 있었다. | | I saw him, he was sitting on a bench.

Because it rained, we couldn't play soccer.

She took a taxi because she was late.

I can finish this work if you help me.

My father will go hiking if it is fine tomorrow.
조건을 나타내는 부사절에서 미래를 나타낼 때 현재 시제 사용

If Emily arrives at the station, her mother will pick her up.

| because | ~ 때문에 |
| if | 만약 ~라면 |

| 주어 + 동사 | because / if | 주어 + 동사 |
| Because / If | 주어 + 동사 , | 주어 + 동사 |

바로 개념

1 종속접속사 because는 이유를 나타내는 부사절을 이끈다.
2 종속접속사 if는 조건을 나타내는 부사절을 이끈다.
3 조건을 나타내는 부사절에서는 현재 시제로 미래를 나타낸다.

✔ 해석하며 개념 확인

Answers p. 25

01 If it is sunny , my class will go on a picnic. → 날씨가 화창하다면

02 I got a bad grade because I didn't study hard . →

03 I stayed home all day long because I was very tired . →

04 Please leave a message if I don't answer the call . →

05 He won't go to Susie's party because she didn't invite him . →

06 If you don't take an umbrella , you'll get wet. →

✏ 쓰며 개념 정리

07 그가 온다면 나는 그를 박물관에 데려갈 거야. he comes, I'll take him to the museum.

08 그녀는 과학이 흥미롭기 때문에 좋아한다. She likes science it is interesting.

09 나는 영화가 지루해서 TV를 껐다. I turned off the TV the movie was boring.

10 네가 떠난다면 난 무척 슬플 거야. I will be very sad you leave.

11 그는 팔을 다쳐서 상자를 들 수 없다. He can't lift the box he hurt his arm.

12 글을 잘 쓰고 싶다면 좋은 책을 읽어라. you want to write well, read good books.

개념 45 **종속접속사 when, before, after**

1 종속접속사 when, before, after는 시간을 나타내는 부사절을 이끈다.

2 시간을 나타내는 부사절에서는 [   ] 시제로 미래를 나타낸다.

3 부사절은 주절 앞에 쓰일 수도 있고 뒤에 쓰일 수도 있다.

접속사	의미	예문
when		I will plant some trees in the garden **when** spring comes. = [ ] spring comes, I will plant some trees in the garden. (봄이 오면 나는 정원에 나무 몇 그루를 심을 것이다.)
before		Andy made sandwiches **before** he cleaned the kitchen. = [ ] he cleaned the kitchen, Andy made sandwiches. (Andy는 부엌을 청소하기 전에 샌드위치를 만들었다.)
after		Ella checked Benny's email **after** she came back home. [ ] she came back home, Ella checked Benny's email. (Ella는 집에 돌아온 후에 Benny의 이메일을 확인했다.)

개념 46 **종속접속사 because, if**

1 종속접속사 because는 [   ]를 나타내는 부사절을 이끈다.

2 종속접속사 if는 [   ]을 나타내는 부사절을 이끈다.

3 조건을 나타내는 부사절에서는 [   ] 시제로 미래를 나타낸다.

접속사	의미	예문
because		The horses headed for the river **because** they were thirsty. = [ ] they were thirsty, the horses headed for the river. (말들은 목이 말랐기 때문에 강으로 향했다.)
if		I will dance on the street **if** I win the contest. = [ ] I win the contest, I will dance on the street. (나는 경연 대회에서 우승하면 길에서 춤을 출 것이다.)

A 우리말에 맞게 〈보기〉에서 알맞은 말을 골라 쓰시오. (중복 사용 가능)

보기	because	if	after	before

01 그는 다리를 다쳤기 때문에 학교에 가지 않았다.

→ He didn't go to school [   ] he hurt his leg.

02 그녀가 그 티셔츠를 원하지 않는다면 내가 가져갈게.

→ I will take the T-shirt [   ] she doesn't want it.

03 나는 그 전시회에 가기 전에 Josh를 만났다.

→ I met Josh [   ] I went to the exhibition.

04 추워지고 있었기 때문에 우리는 집 안으로 들어갔다.

→ We went into the house [   ] it was getting cold.

05 너는 이 약을 먹기 전에 뭔가를 먹어야 해.

→ You have to eat something [   ] you take this medicine.

06 Jones 씨는 오랫동안 걸은 후에 휴식을 취했다.

→ [   ] Ms. Jones walked for a long time, she took a break.

07 이 노래를 듣지 않는다면 그 음악가를 이해하지 못할 거야.

→ [   ] you don't listen to this song, you won't understand the musician.

B 주어진 문장에서 부사절의 위치를 바꾸어 다시 쓰시오.

01 She bought the book because she liked horror stories.

→ [   ]

02 If it is sunny this afternoon, we will go to the park.

→ [   ]

03 After he watered the plants, Jason mopped the floor.

→ [   ]

04 If you watch this documentary, you will know a lot about penguins.

→ [   ]

📖 **비교하며 문장 쓰기**

표현
노트

331

첫 경기가 시작하기 전에 우리는 긴장했다.

Before our first game started, we were nervous.

첫 경기가 끝난 뒤에 우리는 기뻤다.

After our first game ended, we were happy.

end,
happy

332

그것들은 매우 가볍기 때문에 둘 다 뜰 것이다.

Both will float because they are very light.

그것은 매우 가볍기 때문에 너는 그것을 들 수 있을 것이다.

can, lift

333

너는 피곤할 때 잠자리에 들어야 한다.

When you are tired, you should go to bed.

너는 아플 때 약을 먹어야 한다.

sick,
some medicine

334

나는 숙제를 끝낸 뒤 공원에 갔다.

After I finished my homework, I went to the park.

나는 숙제를 끝내기 전에 TV를 보았다.

watch TV

335

다른 사람들이 슬플 때 어떻게 우리가 행복할 수 있을까?

How can we be happy when others are sad?

네가 내 이야기를 좋아할 때 나는 행복하다.

like,
my stories

336

Jack은 매우 피곤했기 때문에 온종일 잤다.

Jack slept all day because he was very tired.

비가 온다면 나는 온종일 집에 머물 것이다.

✘ 부사절의 주어와 시제에 주의

stay at home,
rain

337

그가 서른 살이었을 때, 오페라가 그의 인생을 바꿨다.

When he was 30, an opera changed his life.

내가 열두 살이었을 때, 나는 부산으로 이사를 갔다.

move to

338

사람들은 그 게임이 쉽고 재미있어서 즐긴다.

People enjoy the game because it is easy and fun.

나는 그가 정직하고 친절해서 좋아한다.

like,
honest and kind

📖 **배열하여 문장 쓰기**

339

우리는 열심히 일한 후 우리의 축구장을 갖게 되었다.
(we, we, worked, our soccer field, had, hard, after)

After we worked hard, we had our soccer field.

340

네가 공항에 도착하면 내게 전화해 줘. (when, please call, at the airport, me, arrive, you)

341

나의 아빠는 집에 일찍 오실 때 저녁을 요리하신다.
(cooks, comes, my dad, dinner, when, early, home, he)

342

그것들이 헤엄쳐 돌아다니지 않았기 때문에 나는 쉽게 사냥할 수 있었다.
(easily hunt, they, I, them, didn't, around, because, could, swim)

✗ swim around: 헤엄쳐 다니다

343

네가 이 경주에서 우승하면 너는 새 인생을 시작할 수 있다.
(this race, start, win, you, when, you, a new life, can)

344

나는 잠자리에 들기 전에 책을 읽는다. (before, I, a book, go, read, to bed, I)

345

그 텐트에 커다란 구멍이 있어서 나는 그것을 쓸 수 없었다.
(couldn't, I, had, use, because, the tent, it, in it, a big hole)

[Self-Editing Checklist] ✔ 대·소문자를 바르게 썼나요? Y N   ✔ 철자와 문장 부호를 바르게 썼나요? Y N

I have lunch **at** noon.

We have six classes **on** Wednesday.

Grace lived in the town **for** three years.

What will you do **during** the summer vacation?

He will visit you <u>before</u> lunch.

before와 after는 접속사로도 쓰일 수 있다.

at	~에 (정확한 시각)	at six o'clock
	~에 (특정한 때)	at noon, at night
on	~에 (날짜, 요일)	on June 3rd, on Friday
in	~에 (월, 연도, 계절, 시간 등)	in March, in 2019, in winter
for	~ 동안 (구체적인 시간)	for a year, for an hour
during	~ 동안 (특정 기간)	during the vacation
before	~ 전에	before lunch
after	~ 후에	after the meeting

바로 개념

1 전치사 뒤에는 반드시 명사나 대명사가 와서 시간, 위치 등을 나타내는 구를 이룬다.
2 '때'를 나타내는 표현의 종류에 따라 at, on, in을 구별하여 쓴다.
3 '기간'을 나타내는 표현의 종류에 따라 for와 during을 구별하여 쓴다.
4 before와 after는 뒤에 절이 오면 접속사 역할, 명사구가 오면 전치사 역할을 한다.

✅ **고르며 개념 확인**

Answers p. 26

01 I get up late ○ on ○ at Sunday.

02 My twin sisters were born ○ at ○ in 2006.

03 Ms. Riley stayed at the hotel ○ for ○ during four days.

04 We will get lots of presents ○ in ○ on Christmas.

05 He was asleep ○ at ○ during the flight.

06 What do you usually do ○ in ○ on the morning?

07 The movie will start ○ on ○ at five thirty.

✏️ **쓰며 개념 정리**

08 우리는 너를 토요일에 만날 거야. We'll see you [   ] Saturday.

09 내가 방과 후에 너에게 전화할게. I'll call you [   ] school.

10 그는 방학 동안 여행할 계획이다. He plans to travel [   ] the vacation.

11 그 연극은 두 시간 동안 계속되었다. The play went on [   ] two hours.

12 나는 대회 전에 연습을 많이 했다. I practiced a lot [   ] the competition.

개념 48 위치를 나타내는 전치사

at (~에)	하나의 지점	at the bus stop	in front of	~ 앞에	in front of the house	into, out of	~ 안으로 / 밖으로	into the room
	행사	at the party	behind	~ 뒤에	behind the door	up, down	~ 위로 / 아래로	down the hill
	상태	at school, at work	next to, beside, by	~ 옆에	next to the chair, by the sea	along	~을 따라서	along the river
in (~에)	넓은 장소	in Seoul	near	~ 근처에	near the park	across	~을 가로질러	across the street
	내부	in the building	between	~ 사이에	between the tree and the man	through	~을 통과하여	through the tunnel
on (~에)	표면	on the wall	among	~ 사이에	among the children	around	~ 주위에	around the table
	교통	on a train	over	~ 위에	over my head	from	~으로부터, ~에서	from Korea
	방향	on one's right[left]	under	~ 아래에	under the desk	to	~으로	to Tokyo
						for	~을 향하여	for Busan

바로 개념

1 위치를 나타내는 전치사는 사람이나 사물이 있는 장소, 또는 움직이는 방향 등을 나타낼 때 쓰인다.

2 하나의 전치사가 뒤에 오는 어구에 따라 시간을 나타내거나 위치를 나타낼 수 있다.

✔ 고르며 개념 확인

Answers p. 26

01 There is an apple tree ○ behind ○ in front of the bakery.

02 The shoe store is ○ behind ○ between the grocery store.

03 There are two bridges ○ over ○ in the river.

04 The pizza restaurant is ○ at ○ next to the bank.

05 There is a park ○ by ○ on the river.

06 The bookstore is ○ behind ○ between the hair shop and the flower shop.

✏ 쓰며 개념 정리

07 그 잡지는 탁자 위에 있다.   The magazine is [ ] the table.

08 해변을 따라 집이 몇 채 있었다.   There were some houses [ ] the beach.

09 달은 지구 주위를 움직인다.   The moon moves [ ] the Earth.

10 나는 침대 아래에서 지갑을 찾았다.   I found my wallet [ ] the bed.

11 그들은 숲을 통과하여 걸었다.   They walked [ ] the forest.

12 개를 가게 밖으로 데리고 나가라.   Bring the dog [ ] [ ] the store.

개념 47   시간을 나타내는 전치사

at	~에 (정확한 시각)	at 5 (다섯 시에)	for	~ 동안 (구체적인 시간)	 (두 시간 동안)
	~에 (특정한 때)	 (밤에)	during	~ 동안 (특정 기간)	 (수업 시간 동안)
on	~에 (날짜, 요일)	 (월요일에)	before	~ 전에	 (저녁 식사 전에)
in	~에 (월, 연도, 계절, 시간 등)	 (2019년에)	after	~ 후에	 (저녁 식사 후에)

개념 48   위치를 나타내는 전치사

at	하나의 지점	at the store (가게에서)	in	넓은 장소	 (일본에서)	on	표면	on the door (문 위에)
	행사	at the meeting (회의에서)		내부	 (도서관에서)		교통	on the bus (버스에서)
	상태	at work (직장에서)					방향	on your right (당신의 오른쪽에)
in front of	~ 앞에	 (학교 앞에)	next to, beside, by	~ 옆에	beside me (내 옆에)	among	~ 사이에	among the cars (차들 사이에)
			near	~ 근처에	 (그 건물 근처에)	over	~ 위에	over the river (강 위에)
behind	~ 뒤에	behind the hospital (병원 뒤에)	between	~ 사이에	between the bank and the bakery (은행과 빵집 사이에)	under	~ 아래에	 (탁자 아래에)
into, out of	~ 안으로/ 밖으로	 (방 밖으로)	across	~을 가로질러	across the hall (강당을 가로질러)	from	~으로부터, ~에서	 (내 집으로부터)
up, down	~ 위로/ 아래로	up the stairs (계단 위로)	through	~을 통과하여	 (문을 통과하여)	to	~으로	to the station (역으로)
along	~을 따라서	along the road (길을 따라서)	around	~ 주위에	around the pond (연못 주위에)	for	~을 향하여	for Africa (아프리카를 향해)

A 셋 중 알맞은 것을 고르시오.

01 Was Mr. Rowling born ○ at ○ on ○ in 1973?

02 Amy is a good student ○ at ○ on ○ for school.

03 You have to get up ○ at ○ on ○ in six to catch the bus.

04 Jina was in hospital ○ at ○ during ○ in the holiday.

05 Aaron always washes the dishes ○ on ○ in ○ after dinner.

06 We're tired because we walked ○ for ○ during ○ at three hours.

07 We have to care about the homeless ○ at ○ on ○ in winter.

08 They play sports on the playground ○ for ○ during ○ on lunchtime.

B 괄호 안의 표현과 알맞은 전치사를 사용하여 우리말에 맞는 문장을 완성하시오.

01 이 집 뒤에 무엇이 있을까?

→ What is there [   ] ? (this house)

02 그녀는 기차에서 옛 친구를 만났다.

→ She met her old friend [   ] . (the train)

03 누군가가 문에 노크를 했다.

→ Someone knocked [   ] . (the door)

04 그들은 길을 따라 꽃을 심었다.

→ They planted flowers [   ] . (the road)

05 그 가방을 옷장과 침대 사이에 두세요.

→ Please put the bag [   ] . (the closet, the bed)

06 그 도둑들은 창문을 통해 침입했다.

→ The thieves got in [   ] . (the window)

07 도서관 앞에서 나를 기다려 줘.

→ Please wait for me [   ] . (the library)

08 나는 사다리를 타고 올라가 천장을 칠했다.

→ I climbed [   ] and painted the ceiling. (the ladder)

📖 **비교하며 문장 쓰기**

표현
노트

346 | 크리켓은 인도에서 매우 인기 있다. | Cricket is very popular in India. | the U.S.
| 야구는 미국에서 매우 인기 있다. | Baseball is very popular in the U.S. |

347 | 아침식사 후 Hao는 학교에 간다. | After breakfast, Hao goes to school. | take a shower
| 아침식사 전에 그는 샤워를 한다. | |

348 | 추석에 한국인들은 송편을 만들어 먹는다. | During Chuseok, Koreans make and eat songpyeon. | Christmas, send cards
| 크리스마스에 나는 내 친구들에게 카드를 보낸다. | |

349 | 1학년 학생들은 12시 30분에 여기에서 점심을 먹는다. | First-year students eat lunch here at 12:30. | home, noon
| 그들은 정오에 집에서 점심을 먹는다. | |
| ✖ 전치사구는 장소, 방향, 시간 순으로 쓴다. |

350 | 그녀는 4년 동안 레모네이드 판매대를 운영했다. | She ran her lemonade stand for four years. | many years
| 그는 여러 해 동안 영어를 배웠다. | |

351 | 우리는 그 앞에서 사진을 찍었다. | We took pictures in front of it. | the building
| 그 건물 앞에 나무 한 그루가 있다. | |
| ✖ 「there + be동사」: ~이 있다 |

352 | 우리는 가방 위에 독특한 무늬를 그렸다. | We drew unique patterns on the bag. | the bottle
| 나는 가방 안에 병을 넣었다. | |

353 | 그것은 그 중학교 옆에 있다. | It is next to the middle school. | the bakery
| 빵집은 그 중학교 근처에 있다. | |

📖 **배열하여 문장 쓰기**

354
문 뒤에서 가장 멋진 보물이 그들을 기다린다.
(the door, the greatest, waits, behind, them, for, treasure)

Behind the door, the greatest treasure waits for them.

355
거북이는 물속으로 들어가 강을 가로질러 헤엄쳤다.
(got, the turtle, swam, into, across, the water, the river, and)

356
너는 경기 전에 많은 시간이 있다.
(you, time, before, have, lots of, the game)

357
그는 바구니 안에 사탕을 넣고 그것을 나무 아래에 두었다.
(candies, it, the tree, he, the basket, placed, under, in, put, and)

358
동물의 눈을 통해 세상을 보라.
(see, of, through, the eyes, the world, animals)

359
내가 모퉁이를 돌아 걸을 때, 빵집에서 달콤한 냄새가 풍겨 온다.
(the corner, comes, a sweet smell, I, from, when, walk, around, the bakery)

360
전 세계의 모든 사람들이 일상에서 야구 모자를 쓴다.
(around, in, everyone, everyday life, a baseball cap, the world, wears)

[Self-Editing Checklist] ✔ 대·소문자를 바르게 썼나요? Ⓨ Ⓝ ✔ 철자와 문장 부호를 바르게 썼나요? Ⓨ Ⓝ

대표유형 01   등위접속사의 의미

01 다음 중 빈칸에 들어갈 접속사가 나머지 넷과 다른 것은?

① The lion is big _____ strong.
② Eric _____ Sam are good friends.
③ He likes jazz _____ pop music.
④ I study English hard, _____ I'm not good at it.
⑤ He washed the dishes _____ cleaned the bathroom.

02 다음 두 문장의 빈칸에 공통으로 알맞은 것은?

- The weather was fine, _____ we stayed in.
- John cooked well, _____ his soup was bad.

① and   ② but   ③ or
④ so   ⑤ because

03 다음 문장 중 밑줄 친 부분의 쓰임이 어색한 것은?

① It was sunny but very cold.
② You and I don't know each other.
③ I'll buy this scarf or those shoes.
④ He was very sick and cheerful.
⑤ Will you drive a car or ride a bike?

대표유형 02   종속접속사 that의 쓰임

04 다음 중 밑줄 친 that의 쓰임이 나머지 넷과 다른 것은?

① I think that he will succeed.
② Do you believe that they are alive?
③ What do you call that black cat?
④ I didn't know that Katie left home.
⑤ How did you find out that the rumor was true?

05 다음 문장의 빈칸에 가장 알맞은 것은?

I am sorry _____ I am late again.

① if   ② so   ③ and
④ that   ⑤ but

06 다음 중 밑줄 친 부분을 생략할 수 없는 것은?

① Do you think that I was wrong?
② I hoped that they could find the girl.
③ I'm afraid that I can't keep the promise.
④ That he was your father is surprising.
⑤ Lucy found that the movie was terrible.

07 다음 문장의 밑줄 친 부분과 쓰임이 같은 것은?

The fact is that he lied to us.

① I believe that is part of my job.
② I know that he didn't read my letters.
③ The cat found that black bird on the tree.
④ That boy on the left is my brother.
⑤ Can you show me that white T-shirt?

대표유형 03   여러 가지 접속사의 쓰임

08 다음 문장의 빈칸에 가장 알맞은 것은?

I fell down _____ the floor was slippery.

① if   ② because   ③ that
④ before   ⑤ after

09 다음 문장과 의미가 통하는 것은?

Ann has dinner after she exercises.

① Ann has dinner before she exercises.
② After Ann has dinner, she exercises.
③ Ann exercises before she has dinner.
④ Ann has dinner and she exercises.
⑤ Ann exercises, but she doesn't have dinner.

10 다음 중 밑줄 친 When[when]의 쓰임이 나머지 넷과 다른 것은?

① I was short when I was young.
② When I saw her, she was crying.
③ When I won first prize, I was happy.
④ What did you do when Chris visited?
⑤ When are you coming back home?

11 다음 빈칸에 알맞은 말이 순서대로 짝지어진 것은?

> • I can complete it _____ I have time.
> • It is certain _____ he made a mistake.
> • Dean was playing computer games _____ I visited him.

① so — that — if　　② when — so — when
③ if — that — when　　④ if — because — but
⑤ when — that — if

12 다음 우리말과 같도록 할 때 빈칸에 들어갈 말로 알맞은 것은?

> 네가 네 방을 청소하지 않으면 부모님은 화를 내실 거야.
> → _____ you don't clean your room, your parents will get angry.

① So　　② That　　③ If
④ Before　　⑤ Because

13 다음 문장 중 어법상 어색한 것은?

① If you will go there, he won't go.
② Let me know when you want to see me.
③ We will go hiking if the weather is fine.
④ You will get an F if you don't turn in your report.
⑤ When you visit the museum, don't forget to bring your student card.

대표유형 04 　시간을 나타내는 전치사

14 다음 문장 중 밑줄 친 부분의 쓰임이 바른 것은?

① Let's meet at the bus stop on 3:00.
② What will you do in New Year's Day?
③ I have some plans in the weekend.
④ I will travel in Busan during the vacation.
⑤ On summer, we have a lot of rain.

15 다음 빈칸에 공통으로 들어갈 말로 알맞은 것은?

> • Jack was absent _____ two days.
> • Bake the dough _____ 20 minutes.

① at　② in　③ on　④ for　⑤ during

16 다음 문장의 빈칸에 들어갈 말로 어색한 것은?

> Robin was born in _____ .

① 2007　　② Sydney　　③ winter
④ August　　⑤ Thanksgiving Day

대표유형 05 　위치를 나타내는 전치사

17 다음 그림에 관한 설명으로 틀린 것은?

① The cat is on the desk.
② The baseball cap is under the desk.
③ The chair is in front of the desk.
④ The backpack is behind the chair.
⑤ There is a painting on the wall.

18 다음 두 문장의 빈칸에 알맞은 말이 순서대로 짝지어진 것은?

> • The children climbed _____ the tree.
> • Look at the lions _____ the glass.

① on — to　　② up — to　　③ in — through
④ into — for　　⑤ up — through

19 두 문장의 의미가 같도록 할 때, 빈칸에 알맞은 것은?

> The bakery is _____ the post office.
> = The post office is in front of the bakery.

① under　　② beside　　③ behind
④ next to　　⑤ across from

20 다음 문장 중 빈칸에 on이 들어갈 수 없는 것은?

① Erica works _____ a farm.
② His family lives _____ the island.
③ We first met _____ the party.
④ Benny moved here _____ June 23.
⑤ The bathroom is _____ the third floor.

Correct
or
Incorrect

		CORRECT	INCORRECT
바로 개념 확인	1 등위접속사는 같은 성격의 문장 성분을 연결한다.	○	○
	2 종속접속사 that이 이끄는 절은 주어, 보어, 목적어 역할을 한다.	○	○
	3 시간이나 조건을 나타내는 부사절에서는 현재 시제로 미래를 나타낸다.	○	○
	4 전치사 뒤에는 주어와 동사가 와야 한다.	○	○

		CORRECT	INCORRECT
바로 문장 확인	5 I will learn to skate during the winter.	○	○
	6 I think that the student's answer is wrong.	○	○
	7 You must do this work or leave.	○	○
	8 The actor was born in Boston on 1998.	○	○
	9 If he doesn't come, I will cancel the party.	○	○

Answers p. 28

배움으로 행복한 내일을 꿈꾸는
천재교육 커뮤니티 안내 · · · ·

교재 안내부터 구매까지 한 번에!
천재교육 홈페이지

자사가 발행하는 참고서, 교과서에 대한 소개는 물론
도서 구매도 할 수 있습니다. 회원에게 지급되는 별을 모아
다양한 상품 응모에도 도전해 보세요!

다양한 교육 꿀팁에 깜짝 이벤트는 덤!
천재교육 인스타그램

천재교육의 새롭고 중요한 소식을 가장 먼저 접하고 싶다면?
천재교육 인스타그램 팔로우가 필수!
깜짝 이벤트도 수시로 진행되니 놓치지 마세요!

수업이 편리해지는
천재교육 ACA 사이트

오직 선생님만을 위한, 천재교육 모든 교재에 대한 정보가 담긴
아카 사이트에서는 다양한 수업자료 및 부가 자료는 물론
시험 출제에 필요한 문제도 다운로드하실 수 있습니다.

https://aca.chunjae.co.kr

천재교육을 사랑하는 샘들의 모임
천사샘

학원 강사, 공부방 선생님이시라면 누구나 가입할 수 있는 천사샘!
교재 개발 및 평가를 통해 교재 검토진으로 참여할 수 있는 기회는 물론
다양한 교사용 교재 증정 이벤트가 선생님을 기다립니다.

아이와 함께 성장하는 학부모들의 모임공간
튠맘 학습연구소

튠맘 학습연구소는 초·중등 학부모를 대상으로 다양한 이벤트와 함께
교재 리뷰 및 학습 정보를 제공하는 네이버 카페입니다.
초등학생, 중학생 자녀를 둔 학부모님이라면 튠맘 학습연구소로 오세요!

문장

바로
쓰는
문법

문장

바로
쓰는
문법

LEVEL
1

ANSWERS

CHUNJAE
EDUCATION, INC.

바로 쓰는 문법

문장

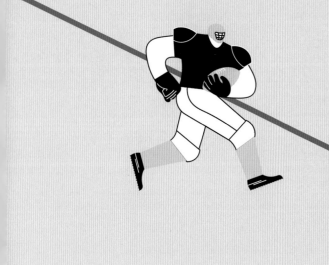

Background Knowledge

01

Julia	주어	plays	동사
soccer	목적어		

02

The boy	주어	is	동사
my cousin	보어		

Wow!	감탄사	flowers	명사
in	전치사	look	동사
very	부사	real	형용사
and	접속사	I	대명사

01 구　　**02** 절　　**03** 구

01 Hello, I am Kate and I am from Canada.

02 Wow! Is the rumor true?

UNIT 01 be동사

01 am		**02** is	
03 are		**04** are	
05 is		**06** are	
07 This is, is		**08** They are, They're	
09 She is, She's		**10** We are, We're	
11 I am, I'm		**12** It is, It's	

01 was	**02** was
03 were	**04** were
05 are	**06** was

07 were	**08** She was
09 we were	**10** I was
11 They were	**12** You were

개념 01　be동사 현재형

1 주어　　**2** ~이다　　**4** This is

인칭대명사			be동사 현재형	줄임말
단수	1인칭	I 나	am	I'm
	2인칭	you 너	are	you're
	3인칭	he 그	is	he's
		she 그녀		she's
		it 그것		it's
복수	1인칭	we 우리	are	we're
	2인칭	you 너희		you're
	3인칭	they 그들		they're

개념 02　be동사 과거형

1 was, were　　**2** ago

인칭대명사			be동사 현재형	be동사 과거형
단수	1인칭	I	am	was
	2인칭	you	are	were
	3인칭	he / she / it	is	was
복수	1인칭	we		
	2인칭	you	are	were
	3인칭	they		

A

01 are	**02** were
03 are	**04** was
05 is	**06** was
07 was	**08** This is

B

01 The Earth is	**02** She was on a train
03 Everyone was excited	**04** I am interested
05 We were very young	**06** My sister and I are afraid
07 My family is important	

001 I am a big fan of K-pop.

He is a big fan of K-pop.

002 She is fourteen years old.

We are fourteen years old.

003 You are strong.

I am strong.

004 It was delicious.

They were delicious.

005 I am in the football club.

I was in the football club.

006 He is my classmate.

They are my classmates.

007 She is on her way home.

She was on her way home.

008 You are a middle school student.

You were an elementary school student.

009 You are special.

010 Yesterday was a terrible day for me.

011 I was there last Saturday. 또는 Last Saturday, I was there.

012 The library is open from 9 to 5.

013 I am a member of the art club.

014 My favorite time at school is lunch time.

015 He is from France.

주어		be동사 + not	「주어 + be동사 + not」 줄임말	
I	현재형	am not	×	I'm not
	과거형	was not	I wasn't	×
he / she / it	현재형	is not	he / she / it isn't	he's / she's / it's not
	과거형	was not	he / she / it wasn't	×
we / you / they	현재형	are not	we / you / they aren't	we're / you're / they're not
	과거형	were not	we / you / they weren't	×

개념 04　be동사 의문문

1 be동사, 주어　　　　　　　2 인칭대명사
3 Was [Were]　　　　　　　4 we

주어		의문문_현재형	긍정의 답	부정의 답
1인칭	단수	Am I ~?	Yes, you are.	No, you aren't.
	복수	Are we ~?	Yes, you [we] are.	No, you [we] aren't.
2인칭	단수	Are you ~?	Yes, I am.	No, I'm not.
	복수		Yes, we are.	No, we aren't.
3인칭	단수	Is he/she/it ~?	Yes, he/she/it is.	No, he/she/it isn't.
	복수	Are they ~?	Yes, they are.	No, they aren't.

개념 03　be동사 부정문　　　　　　p. 22

01 is not
02 am not
03 wasn't
04 weren't
05 isn't
06 aren't
07 I am not, I'm not
08 was not, wasn't
09 He is not, He isn't [He's not]
10 They were not [They weren't]
11 are not, aren't
12 I was not, I wasn't

개념 04　be동사 의문문　　　　　　p. 23

01 it
02 Is, is
03 yesterday, she
04 Am, you aren't
05 Are, I am
06 Were, they were
07 Are, I am
08 Are you, I am
09 Is he, he isn't
10 Are Bill and Sue, they are
11 Were you, we weren't
12 Is this, it is

바로 개념 확인 노트　　　개념 03-04　　　p. 24

개념 03　be동사 부정문

1 not
2 isn't, aren't, am not
3 wasn't, weren't

바로 기본 확인 노트　　　개념 03-04　　　p. 25

A　01 My cousin is not [isn't]

02 They are not [aren't] / They're not

03 The street was not [wasn't]

04 Your sneakers are not [aren't]

05 The dogs were not [weren't]

06 I am not happy

07 This suitcase is not [isn't]

08 These apples are not [aren't]

09 I was not [wasn't]

10 Math is not [isn't]

B　01 Was the night view, it was

02 Is today, it isn't [it's not]

03 Were the pictures, they were

04 Are they, they aren't [they're not]

05 Is Julia's sister, she is

06 Was Jake, he wasn't

교과서에서 뽑은 360문장 마스터하기　　　pp. 26-27

016 I am active.

I am not active.

017 He is not [isn't] thirteen years old.

They are not [aren't] thirteen years old.

018 We are not [aren't] good at Korean.

She is not [isn't] good at Korean.

019 The smell was not [wasn't] that bad.

The smell is not [isn't] that bad.

020 I am not worried.

I was not [wasn't] worried.

021 It was not [wasn't] his watch.

They were not [weren't] mine.

022 We were not [weren't] close.

Julia and Emma are not [aren't] close.

023 Mary was not [wasn't] there then.

We were not [weren't] there then.

024 Are you nervous?, No, I'm not.

025 Is this your pet?, Yes, it is.

026 Are kiwis your favorite fruit?, No, they aren't.

027 Were you okay without me?, Yes, I was.

028 Were the rooms clean?, No, they weren't.

029 Are you and Andy brothers?, Yes, we are.

030 Was he in danger?, No, he wasn't.

REVIEW TEST

pp. 28-29

01 ④	02 ②	03 ③	04 ⑤	05 ②
06 ①	07 ①	08 ⑤	09 ③	10 ⑤
11 ①	12 ③	13 ④	14 ③	15 ⑤
16 ③	17 ③	18 ②	19 ④	20 ③

01 Ted and Amy는 복수 주어이므로 are를 쓰고, 나머지는 모두 3인칭 단수 주어이므로 is를 쓴다.

02 this(이것), your book(너의 책), today(오늘)는 3인칭 단수 주어이므로 is를 쓴다.

03 ③ 주어가 I이면 be동사 현재형은 am을 쓴다.

04 in 2006와 last night은 과거를 나타내는 표현이므로 I 뒤에는 was를, we 뒤에는 were를 쓴다.

05 My parents는 복수이므로 be동사 과거형은 were를 쓰고, 나머지는 모두 was를 쓴다.

06 ① Mr. and Mrs. Jones는 복수 주어이므로 were를 쓴다.

07 be동사 뒤에 장소를 나타내는 부사구가 있으면 '~에 있다'는 의미이다. 나머지는 모두 be동사 뒤에 명사가 있으므로 '~이다'의 의미이다.

08 be동사 뒤에 장소를 나타내는 부사구가 있으면 '~에 있다'는 의미이다. 나머지는 모두 be동사 뒤에 형용사가 있으므로 '~(하)다'의 의미이다.

09 ③ This is는 줄여서 쓰지 않는다.

10 ⑤는 명사의 소유격을 나타내고, 나머지는 모두 「인칭대명사＋be동사」를 줄여서 쓴 것이다.

11 be동사 부정문은 be동사 뒤에 not을 쓴다.

12 be동사 부정문은 be동사 뒤에 not을 쓴다.

13 ④ The fruit salad는 단수이므로 isn't 또는 wasn't를 쓴다.

14 ① weren't → wasn't ② amn't → aren't ④ wasn't → weren't ⑤ isn't → wasn't

15 Lily and Lisa는 복수 주어이고 현재 시제 부정문이므로 빈칸에는 are not이 적절하다.

16 의문문의 주어가 단수의 you(너)일 때는 I로 답하고, 긍정은 「Yes, I am.」으로, 부정은 「No, I'm not.」으로 답한다.

17 the weather는 대명사 it으로 바꿔 답하고, 더웠는지 묻는 질문에 시원했다고 답하고 있으므로 빈칸에는 부정의 답이 알맞다.

18 be동사 의문문으로 Kate는 3인칭 단수 주어이고 현재 시제이므로 be동사는 is를 쓴다.

19 ① 주어가 I이면 you로 답한다. ② Was로 시작하는 의문문이므로 was로 답한다. ③ Judy and Andy는 they로 받는다. ⑤ that girl은 she로 받는다.

20 ③ those sandwiches는 복수 주어이므로 Were를 쓴다.

Correct or Incorrect?

p. 30

1 C 2 I 3 I 4 C 5 I 6 I 7 C 8 I 9 I

UNIT 02 일반동사

개념 05   일반동사 현재형   p. 32

01 works	02 play
03 washes	04 carries
05 has	06 study
07 fixes	08 I get
09 He does	10 They like
11 She enjoys	12 The cat has

개념 06   일반동사 현재형_부정문, 의문문   p. 33

01 doesn't	02 Does, like
03 don't	04 your sisters
05 doesn't have	06 Do
07 Does, he does	08 Do I, you don't
09 Do you, I do	10 Does Andy, he does
11 Do they, they don't	12 Does it, it doesn't

개념 05　일반동사 현재형

4 습관, 빈도

주어가 I, you, we, they		일반동사 현재형	
주어가 I, you, we, they		동사원형	wear → wear
주어가 he, she, it	대부분의 동사	동사원형 + -s	see → sees
주어가 he, she, it	-o, -(s)s, -sh, -ch, -x로 끝나는 동사	동사원형 + -es	go → goes pass → passes wish → wishes catch → catches mix → mixes
주어가 he, she, it	「자음 + y」로 끝나는 동사	-y → -ies	fly → flies
have		has	

개념 06　일반동사 현재형_부정문, 의문문

	주어	형태
부정문	I, you, we, they	주어 + do not [don't] + 동사원형 ~.
부정문	he, she, it	주어 + does not [doesn't] + 동사원형 ~.
의문문	I, you, we, they	Do + 주어 + 동사원형 ~? — Yes, 주어 + do. / No, 주어 + don't.
의문문	he, she, it	Does + 주어 + 동사원형 ~? — Yes, 주어 + does. / No, 주어 + doesn't.

A
01 enjoys　　02 want　　03 don't
04 Do　　05 don't clean　　06 Are
07 don't　　08 brushes

B
01 need, I don't need
02 has, Does she have
03 watch, Mike and Kate don't watch
04 teaches, Does her mother teach
05 worries, The old man doesn't worry
06 exercise, Do they exercise
07 drinks, He doesn't drink coffee

교과서에서 뽑은 *360*문장 마스터하기　　　pp. 36-37

031 I like spicy food.
　　She likes spicy food.
032 Does she exercise regularly?
　　Do you exercise regularly?
033 After breakfast, we go to school.
　　After breakfast, he goes to school.
034 He wears glasses.
　　He doesn't wear glasses.

035 I have a cat.
　　She has two cats.
036 He doesn't work hard.
　　They don't work hard.
037 He lives in a small village in Thailand.
　　We live in a small village in Thailand.
038 Do you play computer games?
　　He doesn't play computer games.
039 She gets enough sleep.
040 I have friends from all around the world.
041 My brother doesn't like boring pictures.
042 Do you know the story?
043 I don't use my cell phone at a crosswalk.
044 She rides her bike every Saturday.
045 Does she live far from school?

개념 07　일반동사 과거형　　　p. 38

01 rained　　02 went
03 played　　04 wrote
05 broke　　06 cried, laughed
07 stepped, was　　08 She had
09 I read　　10 He missed
11 We heard　　12 They moved

개념 08　일반동사 과거형_부정문, 의문문　　　p. 39

01 didn't　　02 go, didn't
03 tell　　04 didn't agree
05 Did, did　　06 give
07 didn't do　　08 Did you brush
09 I didn't meet　　10 Did she solve
11 We didn't buy　　12 Did he travel

개념 07　일반동사 과거형

3 yesterday, last night

	일반동사 과거형	
규칙 변화	대부분의 동사	동사원형 + -ed
규칙 변화	-e로 끝나는 동사	동사원형 + -d
규칙 변화	「자음 + y」로 끝나는 동사	-y → -ied
규칙 변화	「단모음 + 단자음」으로 끝나는 동사	마지막 자음을 한 번 더 쓰고 + -ed
불규칙 변화	현재형과 과거형이 같은 동사	cut → cut, put → put, read → read, let → let 등
불규칙 변화	현재형과 다른 형태로 바뀌는 동사	do → did, meet → met, have → had, go → went 등

1 did   **2** 인칭대명사

	형태
부정문	주어 + did not [didn't] + 동사원형 ~.
의문문	Did + 주어 + 동사원형 ~? — Yes, 주어 + did. / No, 주어 + didn't.

바로 기본 확인 노트   개념 07-08   p. 43

A   **01** lost   **02** buy
      03 understand   **04** became
      05 Did   **06** didn't
      07 don't   **08** put

B   **01** fixed, He didn't fix
      02 started, Did yoga start
      03 gave, Did the cat give birth to
      04 had, I didn't have
      05 stopped, Did the train stop
      06 wrote, Did she write a letter
      07 took, Jake didn't take care of

교과서에서 뽑은 *360*문장 마스터하기   pp. 44-45

046 We tried different street foods.

047 Did you climb Mt. Halla?

048 He helped me with my report.

049 They didn't feel the same way.

050 Did you do volunteer work on Thursday?

051 She gave some bread to us.

052 Our class had a day tour of the British Museum last week.

053 We arrived at the flea market at ten o'clock.

054 We went to a local market.

055 Did he sleep all day on Saturday?

056 The man pulled a heavy airplane over 8 meters.

057 I didn't do my homework after school.

058 Did the Wright brothers invent the airplane?

059 Eric swam in the lake.

060 That dream didn't [did not] come true.

REVIEW TEST   pp. 46-47

01 ④	**02** ⑤	**03** ①	**04** ①	**05** ⑤
06 ②	**07** ①	**08** ⑤	**09** ④	**10** ②
11 ⑤	**12** ③	**13** ③, ⑤	**14** ①	**15** ④
16 ⑤	**17** ④	**18** ③	**19** ③	**20** ③

01 일반동사 현재형은 주어가 3인칭 단수일 때 형태가 달라진다. ① has ② draws ③ gets ⑤ flies

02 wears는 wear의 3인칭 단수형으로 3인칭 단수 주어와 함께 쓴다.

03 ① -x로 끝나는 동사는 동사원형에 -es를 붙인다.

04 ① -ch로 끝나는 동사의 3인칭 단수 현재형은 동사원형에 -es를 붙인다.

05 ⑤ sit은 불규칙 변화를 하는 동사이고 과거형은 sat이다.

06 ② stop은 「단모음 + 단자음」으로 끝나는 동사로 마지막 자음을 한 번 더 쓰고 -ed를 쓴다. stoped → stopped

07 a week ago와 in 1945는 과거를 나타내는 부사구이다. hurt는 현재형과 과거형이 같은 동사이고, end의 과거형은 -ed를 붙인다.

08 last summer는 과거를 나타내는 부사구이다.

09 주어가 3인칭 단수일 때 일반동사 현재형의 부정문은 「doesn't + 동사원형」으로 나타낸다.

10 didn't 뒤에는 동사원형을 쓴다.

11 ⑤ Kate and Judy는 복수 주어이므로 don't like를 쓴다.

12 일반동사 과거형의 부정문은 주어에 상관없이 「didn't + 동사원형」으로 쓴다.

13 일반동사 의문문으로 주어가 you이므로 Do 또는 Did가 알맞다.

14 현재형 의문문이면 「Do you want ~?」이고 「No, I don't.」로 답한다. 과거형 의문문이면 「Did you want ~?」이고 「No, I didn't.」로 답한다.

15 ④ last Sunday는 과거를 나타내는 부사구이므로 Do 대신 Did를 써야 한다.

16 Ms. Smith는 여성이므로 긍정의 답은 「Yes, she does.」이고, 부정의 답은 「No, she doesn't.」이다.

17 ④ 주어가 3인칭 단수일 때 일반동사 현재형의 의문문은 「Does + 주어 + 동사원형 ~?」이다. has → have

18 ③은 '하다'의 의미를 가지는 일반동사 do의 과거형이고, 나머지는 모두 일반동사 부정문과 의문문을 만드는 조동사 do의 과거형이다.

19 ① didn't turned → didn't turn ② Does → Did ④ fixes → fixed ⑤ Did → Does

20 일반동사 현재형의 부정문과 의문문을 만들 때 주어가 3인칭 단수이면 조동사 does를 쓰고, 나머지 경우에는 do를 쓴다.

Correct or Incorrect?   p. 48

1 C   **2** I   **3** C   **4** C   **5** I   **6** C   **7** I   **8** I   **9** C

개념 09 현재 시제, 과거 시제 p. 50

01 gets	02 saw
03 costs	04 is
05 spent	06 invented
07 Seoul is	08 I had
09 She teaches	10 He went
11 She lost	12 The sun sets

개념 10 미래 시제 p. 51

01 will be	02 going to be
03 will	04 Is, he isn't
05 will	06 are
07 Will, will	08 are going

09 He will join the drama club.

10 I am not going to eat pizza for dinner.

11 He won't [will not] take the subway.

12 Is Julia going to clean her room?

바로 개념 확인 노트 개념 09-10 p. 52

개념 09 현재 시제, 과거 시제

1 반복   2 in

현재 시제	be동사 현재형 (am, are, is)	① 현재의 동작이나 상태 ② 습관이나 반복되는 일 ③ 일반적 사실이나 불변의 진리 ④ 속담이나 격언 ⑤ 대중교통, 영화 등의 예정된 시간표
	일반동사 현재형	
과거 시제	be동사 과거형 (was, were)	① 이미 끝난 과거의 동작이나 상태 ② 역사적 사실
	일반동사 과거형	

개념 10 미래 시제

1 ~할 것이다   2 의지   3 계획

will	긍정문 주어 + will + 동사원형 ~. 부정문 주어 + will [won't] + 동사원형 ~. 의문문 Will + 주어 + 동사원형 ~? – Yes, 주어 + will. / No, 주어 + won't.
be going to	긍정문 주어 + be동사 + going to + 동사원형 ~. 부정문 주어 + be동사 + not going to + 동사원형 ~. 의문문 be동사 + 주어 + going to + 동사원형 ~? – Yes, 주어 + be동사. / No, 주어 + be동사 + not.

바로 기본 확인 노트 개념 09-10 p. 53

A
01 went camping	02 Is the train
03 is a friend	04 were not interested
05 am going	06 played chess
07 won't [are not going to] drive	
08 gather	

B
01 are going to play	02 goes to a movie
03 painted	04 will call
05 visited a nursing home	06 is going to learn
07 used stamps	

교과서에서 뽑은 *360* 문장 마스터하기 pp. 54-55

061 He is going to buy a shirt.
He bought a shirt.

062 She helped sick people.
She helps sick people.

063 Mike fed the cat.
Mike will feed the cat.

064 I am going to visit Korea next week.
We visited Korea last week.

065 It is an interesting show.
It was an interesting show.

066 He became a great cook.
You will become a great cook.

067 She exercises every day.
She will exercise this year.

068 He will go back to Geneva next year.
Will you go back to Geneva next year?

069 Travelers will see many kinds of animals.

070 Earth goes around the sun.

071 She is going to see a doctor on Tuesday.

072 The bus will come soon.

073 I will not forget my time in Thailand.

074 I saw sand foxes at the zoo.

075 We will perform at the school festival next month.

개념 11 진행 시제 1 p. 56

01 dancing	02 sitting
03 lying	04 driving
05 getting	06 having
07 swimming	08 living
09 arriving	10 dying

11	winning	12	cutting
13	flying	14	moving
15	beginning	16	crying
17	dropping	18	sending

개념 12 진행 시제 2   p. 57

01	reads	02	wearing, is
03	standing	04	filling
05	Was, wasn't	06	want, do
07	She is writing	08	They were pushing
09	He goes	10	you are stepping
11	I wasn't sleeping	12	Is he talking

바로 개념 확인 노트 개념 11-12   p. 58

개념 11 진행 시제 1

1 ~하고 있다   2 ~하고 있었다   3 소유, 감각, have

동사의 -ing형 만드는 법		
대부분의 동사	동사원형 + -ing	go → going
-e로 끝나는 동사	e를 삭제하고 + -ing	make → making
-ie로 끝나는 동사	ie를 y로 고치고 + -ing	tie → tying
「단모음 + 단자음」으로 끝나는 동사	마지막 자음을 한 번 더 쓰고 + -ing	run → running

개념 12 진행 시제 2

1 동작   2 현재분사, 동명사   3 명사, 동사원형

긍정문	주어 + be동사 + 동사원형 + -ing ~.	She is taking off her shoes now.
부정문	주어 + be동사 + not + 동사원형 + -ing ~.	She is not taking off her shoes now.
의문문	be동사 + 주어 + 동사원형 + -ing ~? - Yes, 주어 + be동사. / No, 주어 + be동사 + not.	Is she taking off her shoes now? - Yes, she is. / No, she isn't.

바로 기본 확인 노트 개념 11-12   p. 59

A
- 01 They are having
- 02 I'm not playing
- 03 This park is getting
- 04 People weren't expecting
- 05 A police car was chasing

B
- 01 Were, riding, they
- 02 running, she, is
- 03 Was, painting, was, sleeping
- 04 doing, we, were
- 05 Are, jumping, they
- 06 taking, I'm, not, taking

교과서에서 뽑은 360 문장 마스터하기   pp. 60-61

- 076 I was reading a book.
- 077 He was walking by the pond.
- 078 They were playing catch.
- 079 Is everything going well?
- 080 We are not having a party.
- 081 Were you drawing animals?
- 082 They were carrying a gift bag in each hand.
- 083 Is Jane dancing now?
- 084 We are cleaning up the trash.
- 085 Alice is cutting the onions.
- 086 She was running up the stairs.
- 087 Am I seeing things?
- 088 Was she helping her mother?
- 089 The escalator is not working.
- 090 Mike was not eating a cupcake.

REVIEW TEST   pp. 62-63

01 ④	**02** ②, ④	**03** ①	**04** ④	**05** ⑤
06 ③	**07** ②	**08** ②	**09** ⑤	**10** ⑤
11 ③	**12** ③	**13** ③, ④	**14** ⑤	**15** ③
16 ⑤	**17** ②	**18** ③	**19** ③	**20** ①

01 빈칸 뒤에 동사원형이 있으므로 be동사는 쓸 수 없다. 두 번째 문장에 '10분 후에'라는 미래를 나타내는 표현이 있으므로 will을 쓴다.

02 will이 있으므로 미래를 나타내는 부사(구)가 적절하다.

03 「Yes, 주어 + will.」이나 「No, 주어 + won't.」로 답한다. ②는 긍정의 답과 뒤의 '그는 바빠.'라는 문장의 연결이 어색하므로 알맞지 않다.

04 ④ will 뒤에는 동사원형을 쓰므로 begins 대신 begin을 쓴다.

05 next month는 미래를 나타내는 부사구이므로 will learn 또는 am going to learn을 쓸 수 있다.

06 「be going to + 동사원형」이므로 visit로 고친다.
해석 나의 고모는 페루에 살고 내 가족은 이번 여름방학에 고모를 방문할 것이다. 우리는 비행기를 두 번 갈아 탈 것이고, 약 16시간이 걸릴 것이다. 나는 정말 신난다!

07 공부를 할 것이라고 했으므로 부정의 답이 적절하며, be going to로 물었으므로 be동사로 답한다.

08 • I'm going to be a movie star.
• It will be rainy this afternoon.
• They will not be late again.
• Are you going to buy this shirt?

09 ⑤ plan은 「단모음 + 단자음」으로 끝나는 동사로 마지막 자음을 한 번 더 쓰고 -ing를 붙인다. planing → planning

10 ⑤ -e로 끝나는 동사는 e를 없애고 -ing를 붙인다.

11 ③ have가 '가지다'의 의미로 소유를 나타낼 때는 진행형으로 쓰지 않는다.

12 현재 진행형은 「be동사 + 동사원형 + -ing」로 나타내고, 주어가 3인칭 단수이므로 be동사는 is를 쓴다.

13 ① were → was ② was → is ⑤ wasn't → weren't

14 질문이 Was로 시작하므로 과거 진행형 의문문임을 알 수 있다. 「Yes, she was.」 또는 「No, she wasn't.」로 답할 수 있다.

15 「동사원형 + -ing」가 be동사와 함께 진행형을 만들면 현재분사이다. ③은 '~하는 것'의 의미로 동사 likes의 목적어로 쓰인 동명사이다.

16 〈보기〉와 ⑤는 be동사와 함께 진행형을 나타내는 현재분사이고, 나머지는 모두 문장에서 주어, 보어, 목적어 역할을 하는 동명사이다.

17 첫 번째 문장은 과학적 사실로 현재 시제를 쓰고, 두 번째 문장은 역사적 사실로 과거 시제를 쓴다. 세 번째 문장의 will 뒤에는 동사원형을 쓴다.

18 현재 진행 중인 일을 묻고 있으므로 「be동사 현재형 + 주어 + 동사원형 + -ing ~?」의 형태로 쓴다.

19 ⓐ call → calls ⓒ readed → read ⓓ starts → start

20 「be going to + 명사」는 진행형이고, 「be going to + 동사원형」은 미래 시제이다.

Correct or Incorrect?   p. 64

1 C   **2** C   **3** I   **4** I   **5** C   **6** I   **7** C   **8** I   **9** I

UNIT 04 조동사

개념 13   can / may / will   p. 66

01 can   **02** get

03 cannot   **04** be able to

05 may not   **06** Are

07 can play   **08** can't [cannot] sing

09 may be   **10** are not going to

11 Can [May] I   **12** able to speak

개념 14   must / have to / should   p. 67

01 must   **02** must not

03 shouldn't   **04** don't have to

05 should   **06** Does, have to

07 must wait   **08** must not run

09 should finish   **10** cannot be

11 has to clean   **12** doesn't have to

바로 개념 확인 노트   개념 13~14   p. 68

개념 13   can / may / will

1 동사원형   **2** not   **3** will be able to

조동사	용법	의미	부정형
can	능력·가능	~할 수 있다 (= be able to)	cannot [can't]
	허가	~해도 좋다(= may)	
	요청	~해 주시겠어요?	
may	허가	~해도 좋다	may not (축약형 없음)
	추측	~일지도 모른다	
will	미래 예측	~일[할] 것이다 (= be going to)	will not [won't]
	주어의 의지	~하겠다	
	요청	~해 주시겠어요?	

개념 14   must / have to / should

1 must, should   **2** ~할 필요가 없다

조동사	용법	의미	부정형	
must	필요·의무	~해야 한다 (= have to)	강한 금지	must not [must'not]
			불필요	don't have to
	강한 추측	~임이 틀림없다	부정 추측	must not (= cannot)
should	의무·충고·제안	~해야 한다	should not [shouldn't]	

바로 기본 확인 노트   개념 13~14   p. 69

A **01** can change   **02** must stop

     03 cannot [can't]   **04** will be

     05 must not [musn't]   **06** may snow

     07 Is   **08** should be honest

B **01** 부정문 He cannot [can't] speak German.

        의문문 Can he speak German?

    02 부정문 She must not [mustn't] take this medicine.

        의문문 Must she take this medicine?

    03 부정문 Sarah will not [won't] go to the gym after school.

        의문문 Will Sarah go to the gym after school?

    04 부정문 Drivers should not [shouldn't] park here.

        의문문 Should drivers park here?

    05 부정문 Nick does not [doesn't] have to return the book by next Monday.

        의문문 Does Nick have to return the book by next Monday?

091   I cannot [can't] play badminton.

092   Is Ted able to draw well?

093   You must not [mustn't] enter here.

094   You should not [shouldn't] take pictures here.

095   He will not [won't] have dinner.

096   You should not [shouldn't] be late for class.

097   We don't have to go to school tomorrow.

098   Dogs cannot [can't] see red.

099   I can write my name in Chinese characters.

100   People and plants cannot live in this hot place.

101   Can we travel through the air?

102   You should wear a swimming cap in the swimming pool.

103   You must turn off your cell phone.

104   People should not drive fast near schools.

105   We have to say thanks to our parents.

REVIEW TEST   pp. 72–73

01 ③	02 ④	03 ①	04 ④	05 ⑤
06 ⑤	07 ③	08 ①	09 ①	10 ⑤
11 ②	12 ②	13 ⑤	14 ③	15 ③
16 ①	17 ⑤	18 ④	19 ①	20 ⑤

01   물을 두려워한다는 말이 이어지므로 수영을 할 수 없다는 내용이 되도록 can't가 들어가야 한다.

02   can이 '~해도 좋다'라는 허가의 의미일 때 may와 바꿔 쓸 수 있다.

03   be going to는 '~일[할] 것이다'라는 의미로 will과 바꿔 쓸 수 있다.

04   ④는 추측의 의미로 쓰였고 나머지는 허가의 의미로 쓰였다.

05   be going to는 미래의 일을 나타내므로 과거를 나타내는 부사구인 last Sunday(지난 일요일)와는 함께 쓸 수 없다.

06   ① plays → play ② raining → rain ③ may don't → may not ④ really → really be

07   ③은 허가의 의미로 쓰였고 나머지는 능력·가능의 의미로 쓰였다.

08   must는 의무(~해야 한다)를 나타내거나 강한 추측(~임이 틀림없다)을 나타낸다.

09   의무를 나타내는 must로 have to와 바꿔 쓸 수 있다.

10   조동사 다음에는 동사원형이 와야 한다. be kind to your friends

11   쓰레기를 버리면 안 된다는 표지판이므로 must not으로 쓴다.

12   ②는 강한 추측의 의미로 쓰였고 나머지는 의무를 나타낸다.

13   '~할 필요가 없다'는 don't have to로 나타낸다.

14   ⓒ Ben had to study for the test yesterday.

15   버스가 아니라 지하철을 탈 것이라는 말이 이어지므로 빈칸에는 부정

의 답이 와야 한다. will의 부정형은 won't이다.

16   노래를 잘한다는 말이 이어지므로 빈칸에는 긍정의 답이 와야 한다.

17   내일까지 끝내지 않고 다음 주 월요일까지 제출해도 된다는 말이 이어지므로 빈칸에는 불필요의 의미를 나타내는 답이 와야 한다.

18   3인칭 단수 주어이므로 doesn't have to로 바꿔야 한다.

19   be able to를 부정문으로 쓸 때 be동사 다음에 not이 와야 하며 to 다음에는 동사원형을 쓴다.

20   조동사는 연달아 쓸 수 없다. ⑤ You will be able to see many animals.

Correct or Incorrect?   p. 74

1 I	2 C	3 I	4 I	5 C	6 I	7 C	8 C	9 C

UNIT 05   명사와 대명사

개념 15   명사   p. 76

01 eggs	02 leaves	03 mice
04 piece	05 coffee	06 pair
07 classes	08 cities	09 wolves
10 teeth	11 a [one] glass of milk	
12 two pairs of socks		

개념 16   인칭대명사   p. 77

01 us	02 Its
03 hers	04 Their
05 yours, Mike's	06 himself, his
07 Her	08 me, himself
09 mine, sister's	10 Our, theirs
11 myself	12 themselves

바로 개념 확인 노트   개념 15–16   p. 78

개념 15   명사

1 a(n)   2 단수   3 복수형

셀 수 있는 명사의 복수형 만드는 법		
대부분의 명사	-s	book – books
-s(s), -x, -sh, -ch, -o로 끝나는 명사	-es	bus – buses, box – boxes 예외) photos, pianos
-f(e)로 끝나는 명사	f(e) → -ves	leaf – leaves, knife – knives 예외) roofs, safes
「자음＋y」로 끝나는 명사	y → -ies	baby – babies
불규칙 변화하는 명사		mouse – mice, tooth – teeth, man – men, child – children, ox – oxen
단·복수 형태가 같은 명사		fish, sheep, deer

개념 16 인칭대명사

1 목적격, 소유격　　**3** 주어, 목적어

인칭		주격 (~은[는], ~이[가])	목적격 (~을[를], ~에게)	소유격 (~의)	소유대명사 (~의 것)	재귀대명사 (~ 자신)
1	단수	I	me	my	mine	myself
	복수	we	us	our	ours	ourselves
2	단수	you	you	your	yours	yourself
	복수					yourselves
3	단수	he	him	his	his	himself
		she	her	her	hers	herself
		it	it	its	-	itself
	복수	they	them	their	theirs	themselves

바로 기본 확인 노트　　개념 15-16　　p. 79

A
01 heroes
02 mysteries
03 toys
04 sandwiches
05 ladies
06 kangaroos
07 islands
08 planets
09 sheep
10 strawberries
11 geese
12 holidays
13 radios
14 degrees
15 children
16 glasses
17 cookies
18 scarfs [scarves]
19 dishes
20 churches
21 wives
22 taxes
23 quizzes
24 gentlemen

B
01 their
02 His
03 yours
04 themselves
05 myself
06 Its
07 pair
08 her
09 pieces
10 ourselves

교과서에서 뽑은 *360* 문장 마스터하기　　pp. 80-81

106 I took pictures of flowers.

107 I have five chickens.

108 I'm looking for a pair of jeans.

109 I need two glasses of milk.

110 His nickname is Big Bear.

111 Their skin is sensitive.

112 Our garden is not just ours.

113 He introduced himself to the class today.

114 I want to have a glass of juice and a sandwich.

115 I can see myself in the water.

116 Pick up a piece of bread with a fork.

117 Its name will be Jimin.

118 Sea otters wrap themselves in sea plants.

119 We write rap songs and post them on our blog.

120 They can easily run away from their enemies.

개념 17　　비인칭 주어 it　　p. 82

01 비인칭 주어
02 대명사
03 비인칭 주어
04 비인칭 주어
05 대명사
06 비인칭 주어
07 It is ten to five.
08 It is Tuesday.
09 It is sunny.
10 It is winter.
11 It is about 100 meters.
12 It is April 5th.

개념 18　　부정 대명사 one　　p. 83

01 one
02 it
03 it
04 one
05 one
06 ones
07 it
08 one
09 one
10 it
11 one
12 ones

바로 개념 확인 노트　　개념 17-18　　p. 84

개념 17 비인칭 주어 it

1 주어　　**2** 지시 대명사, 비인칭 주어

시간	What time is it?	– It is seven o'clock.
날짜	What date is it today?	– It is November 1st.
요일	What day is it today?	– It is Wednesday.
날씨	How's the weather?	– It is cold and foggy.
계절	What season is it in Australia?	– It is summer now.
거리	How far is it?	– It is about five kilometers from here.
명암	Is it dark outside?	– No, it is bright.

개념 18 부정 대명사 one

2 같은, ones　　**3** 일반인

	부정 대명사 one	대명사 it
역할	앞에 언급된 것과 같은 종류의 불특정한 대상을 가리킴	앞에 나온 특정한 명사를 가리킴
예	I'd like to read a book. Would you recommend one?	I read a book last night. It was boring.

A
01 오후 4시 30분이다.　02 오늘은 목요일이니?
03 그것은 인기 있는 영화이다.　04 오늘은 2월 2일이다.
05 어제는 너무 추웠다.　06 여기서 먼가요?

B
01 one　02 it
03 ones　04 one, It
05 ones　06 one, ones

교과서에서 뽑은 *360*문장 마스터하기　pp. 86-87

121 It was a lovely starry night.
122 It does not snow very much in Busan.
123 It is 3 o'clock in the afternoon.
124 It was June 8th yesterday.
125 You can walk there. It takes about ten minutes.
126 Which one do you like best?
127 It will be a cool summer.
128 It is sunny but a little cold.
129 It rains a lot in my country.
130 It is 8:30 in the morning.
131 It is Friday.
132 It was a new taste for me.
133 There are two backpacks. I like the blue one.
134 It is cold high up in the Andes Mountains.
135 It was a long day.

REVIEW TEST　pp. 88-89

01 ③	02 ①, ④	03 ②	04 ④	05 ⑤
06 ③	07 ①	08 ④	09 ②	10 ⑤
11 ④	12 ③	13 ④	14 ②	15 ①
16 ③	17 ③	18 ④	19 ⑤	20 ①

01 shelf의 복수형은 shelves이다.
02 many 다음에는 복수 명사가 와야 한다.
　② women ③ photographers ⑤ benches
03 juice는 셀 수 없는 명사이다.
04 쌍을 이루는 것은 a pair of를 쓴다. a pair of chopsticks
05 tooth의 복수형은 teeth이다.
06 ① friend → friends ② thiefs → thieves ④ photoes → photos
　⑤ factorys → factories
07 첫 번째 빈칸에는 소유격이 와야 한다.(on one's way to: ~로 가는 길에) 두 번째 빈칸에는 목적격이 와야 하고 앞선 문장의 주어가 Tim and I이므로 we의 목적격인 us가 알맞다.

08 빈칸 다음에 명사가 있으므로 소유격이 와야 한다.
09 ① our ③ Her ④ theirs ⑤ its
10 talk to oneself: 혼잣말하다
11 두 명의 남자 형제에 대한 설명이고 빈칸 다음에 명사가 있으므로 소유격인 Their가 와야 한다.
12 ③ hers(그녀의 것)
13 ④ him → his(그의 것)
14 ②는 대명사(그것)로 쓰였고 나머지는 모두 비인칭 주어이다.
15 〈보기〉와 같이 비인칭 주어로 쓰인 것은 ①의 It이다. 나머지는 모두 대명사이다.
16 ③은 대명사(그것)로 쓰였고 나머지는 모두 비인칭 주어이다.
17 날씨를 나타내는 비인칭 주어 it을 주어 자리에 쓰고 동사 자리에 rain의 과거형인 rained를 쓴다.
18 앞서 언급한 휴대 전화와 같은 종류의 사물을 가리키는 부정 대명사 one이 와야 한다.
19 부정 대명사 one의 복수형은 ones이다.
20 ①은 앞서 언급한 책을 가리키므로 대명사 it이 들어가야 하고, 나머지는 모두 부정 대명사 one이 알맞다.

Correct or Incorrect?　p. 90

1 I　2 C　3 C　4 I　5 C　6 I　7 C　8 I　9 I

UNIT 06　to부정사와 동명사

개념 19　to부정사와 동명사　p. 92

01 Cooking　02 To watch
03 teaching　04 to see
05 doing　06 drawing
07 To swim [Swimming]　08 to win [winning]
09 practicing　10 to go
11 riding　12 coming

개념 20　to부정사의 명사적 용법　p. 93

01 보어　02 주어
03 목적어　04 보어
05 주어　06 To know [Knowing]
07 to imagine　08 to travel [traveling]
09 to tell　10 to buy

| 개념 19 | to부정사와 동명사 |

1 명사　　**2** 동명사　　**3** 보어

	to부정사	동명사
형태	to + 동사원형	동사원형 + -ing
부정	not [never] + to부정사	not [never] + 동명사
역할	명사, 형용사, 부사	명사
의미	~하는 것, ~할, ~하기 위해서 등	~하는 것

to부정사를 목적어로 쓰는 동사	want, hope, plan, need, learn, decide, expect, agree, promise 등
동명사를 목적어로 쓰는 동사	enjoy, finish, keep, quit, mind, avoid, practice, recommend, stop, give up 등

| 개념 20 | to부정사의 명사적 용법 |

2 단수　　**3** it

주어 역할 (~하는 것은)	to부정사(구) + 동사 ~	To eat breakfast is important. → It is important to eat breakfast.
보어 역할 (~하는 것(이다))	주어 + be동사, seem 등 + to부정사(구)	Her dream is to be a firefighter.
목적어 역할 (~하는 것을)	주어 + want, plan, decide 등 + to부정사(구)	I plan to visit Rome next year.

A
01	To play [Playing]	02	to become [becoming]
03	to sign	04	to raise [raising]
05	drawing	06	to take
07	doing	08	To be [Being]
09	wasting	10	to use [using]

B
01	climbing	02	washing
03	to send	04	to study
05	waiting	06	to leave
07	to win	08	making

교과서에서 뽑은 *360*문장 마스터하기　　　　pp. 96-97

136 It is fun to play the piano.

137 Making friends is easy.

138 My dream is to become a cook.

139 I enjoy playing baseball.

140 To be a smokejumper is a dangerous job.

141 I plan to see a scary movie.

142 Shopping on the Internet is not safe.

143 He wanted to ride his bike after school.

144 Saying thanks is not so easy.

145 I am interested in dancing.

146 My plan is to climb up the mountain next Saturday.

147 People will enjoy traveling in space.

148 Do you want to find out new things?

149 They decided to make a soccer field on the sea.

150 I recommend trying ice cream on a cold day.

| 개념 21 | to부정사의 형용사적 / 부사적 용법　　　　p. 98 |

01	형용사적 용법	02	형용사적 용법
03	부사적 용법	04	부사적 용법
05	부사적 용법	06	형용사적 용법
07	to visit	08	to live in
09	to save	10	to buy
11	to meet	12	to be

| 개념 22 | to부정사와 동명사를 목적어로 쓰는 동사　　　　p. 99 |

01	to read	02	traveling
03	to meet	04	playing
05	to lock	06	seeing
07	to cry [crying]	08	to be [being]
09	to calm	10	using
11	to bring	12	visiting

| 개념 21 | to부정사의 형용사적 / 부사적 용법 |

1 뒤　　**2** 전치사　　**3** 목적　　**4** ~하려고 멈추다

형용사적 용법	(대)명사 수식	~할, ~하는	① 명사 + to부정사 ② -thing, -one, -body (+ 형용사) + to부정사 ③ 명사 + to부정사 + 전치사
부사적 용법	목적	~하기 위해서	「in order to + 동사원형」과 바꿔 쓸 수 있음
	감정의 원인	~해서, ~하니	감정을 나타내는 형용사* + to부정사 *happy, glad, sad, excited, sorry 등
	결과	(그래서) ~하다	live, grow up, wake up 등* + to부정사 *자연스레 일어나는 일을 나타내는 동사

| 개념 22 | to부정사와 동명사를 목적어로 쓰는 동사 |

목적어의 형태가 무엇이든 의미가 같은 동사	start, begin, like, love, hate, prefer, continue 등

목적어의 형태에 따라 의미가 다른 동사	forget	to부정사	(앞으로) ~할 것을 잊다
		동명사	(과거에) ~했던 것을 잊다
	remember	to부정사	(앞으로) ~할 것을 기억하다
		동명사	(과거에) ~했던 것을 기억하다
	try	to부정사	~하려고 노력하다
		동명사	시험 삼아 ~해보다

바로 기본 확인 노트   개념 21–22   p. 101

A
01 to post [posting]
02 to play with
03 O
04 to feed
05 O
06 O
07 to buy
08 O
09 something sweet to eat
10 O

B
01 nothing to tell
02 something exciting to do
03 waiting in line to get the tickets
04 sorry to hear the news
05 remember walking along the beach
06 tries to recycle things

교과서에서 뽑은 *360*문장 마스터하기   pp. 102–103

151 I want something to eat.
152 I have a lot of homework to do.
153 He does his best to treat her.
154 He went to college to study law.
155 I love watching [to watch] music programs.
156 We started practicing [to practice] hard for the tournament.
157 Don't forget to call me.
158 He stopped to drink coffee.
159 I need some water to drink. / 나는 약간의 마실 물이 필요하다.
160 I will study hard to be a scientist. / 나는 과학자가 되기 위해 열심히 공부할 것이다.
161 She gets up early to bake bread. / 그녀는 빵을 굽기 위해 일찍 일어난다.
162 She will be happy to see you again. / 그녀는 너를 다시 만나 기뻐할 것이다.
163 In the U.S., many people like eating [to eat] apple pie for dessert. / 미국에서는 많은 사람이 후식으로 사과 파이 먹는 것을 좋아한다.
164 I go to the gym to play basketball. / 나는 농구를 하기 위해 체육관에 간다.
165 I always try to understand them. / 나는 항상 그들을 이해하려고 노력한다.

REVIEW TEST   pp. 104–105

01 ②, ④	02 ②	03 ④	04 ⑤	05 ②
06 ③	07 ⑤	08 ①	09 ③	10 ②, ⑤
11 ④	12 ④	13 ①	14 ④	15 ①, ③
16 ③	17 ②	18 ⑤	19 ①	20 ①

01 빈칸에는 주어 역할을 하는 to부정사(구) 또는 동명사(구)가 와야 한다.
02 plan은 목적어로 to부정사를 쓰는 동사이고, finish는 동명사를 쓰는 동사이다.
03 avoid는 동명사를 목적어로 쓰는 동사이다. → using
04 enjoy는 목적어로 명사(구) 또는 동명사(구)를 쓴다.
05 decide와 hope는 to부정사를 목적어로 쓰는 동사이다.
06 ③은 진행형에 쓰인 현재분사이고 나머지는 동명사이다.
07 「stop + 동명사」는 '~하기를 멈추다'라는 의미이고 「stop + to부정사」는 '~하려고 멈추다'라는 의미이므로 to eat을 eating으로 고친다.
08 〈보기〉와 ①의 동명사는 보어 역할을 한다. ②, ③, ⑤: 목적어 역할 ④: 주어 역할
09 want는 to부정사를 목적어로 쓰는 동사이다.
10 to부정사가 주어로 쓰인 경우 가주어 it을 앞에 쓰고 to부정사(구)를 뒤로 보낼 수 있다.
11 목적을 나타내는 to부정사가 와야 한다. (= in order to return)
12 '읽을 책'이라는 의미로 형용사적 용법의 to부정사는 명사를 뒤에서 수식한다.
13 ①은 to 뒤에 대명사가 있으므로 전치사이고, 나머지는 모두 to 뒤에 동사원형이 있는 to부정사이다.
14 ① to write → to write with ② important something → something important ③ riding → to ride ⑤ are → is
15 〈보기〉와 ①, ③의 to부정사는 명사적 용법(목적어 역할)으로 쓰였다. ② 부사적 용법(감정의 원인) ④ 형용사적 용법 ⑤ 부사적 용법(목적)
16 목적을 나타내는 to부정사는 in order to로 바꿔 쓸 수 있다. ① 형용사적 용법 ② 부사적 용법(감정의 원인) ④ 명사적 용법(보어 역할) ⑤ 명사적 용법(주어 역할)
17 ②는 부사적 용법(목적)으로 쓰였고, 나머지는 모두 (대)명사를 수식하는 형용사적 용법으로 쓰였다.
18 keep은 동명사를 목적어로 쓰는 동사이다.
19 「remember + 동명사」: (과거에) ~했던 것을 기억하다 「forget + to부정사」: (앞으로) ~할 것을 잊다
20 「forget + 동명사」는 '(과거에) ~했던 것을 잊다'라는 의미이므로 'Ted는 표를 샀던 것을 잊었다'라는 뜻이다. 즉, Ted는 표를 샀다.

Correct or Incorrect?   p. 106

1 C   2 C   3 I   4 I   5 C   6 C   7 I   8 C   9 C

개념 23 형용사의 쓰임과 형태 p. 108

01 sleepy	02 dirty
03 breakable	04 endless
05 good news	06 something sweet
07 was tall	08 tall boy
09 is [tastes] delicious	10 delicious food
11 is right	12 right answer

개념 24 수량 형용사 p. 109

01 many	02 a few	03 little
04 any	05 some	06 a few
07 some books		08 much rain
09 few trees		10 Many people
11 some coffee		12 a lot of information

바로 개념 확인 노트 개념 23–24 p. 110

개념 23 형용사의 쓰임과 형태

형용사의 쓰임	명사를 꾸밈	• 주로 명사의 앞에서 명사를 꾸밈 • -thing, -body, -one 등으로 끝나는 대명사는 뒤에서 꾸밈
	주어를 설명	동사(be, become, grow, turn, look, sound, taste 등)의 뒤에서 주어의 상태 또는 성질을 설명함

형용사의 형태	명사+-y	health – healthy dirt – dirty
	명사+-ful	use – useful care – careful
	명사+-ous	fame – famous danger – dangerous
	명사+-less	use – useless care – careless
	동사+-able	love – lovable break – breakable
	기타	cheap, pretty, easy, young ...

개념 24 수량 형용사

2 셀 수 있는 명사, 수   3 셀 수 없는 명사, 양

의미＼쓰임	셀 수 있는 명사 앞 (수)	셀 수 없는 명사 앞 (양)
거의 없는	few	little
약간의	a few	a little
	• 긍정문: some (의문문에 쓰이면 권유의 의미) • 부정문, 의문문: any (긍정문에 쓰이면 '어떤 ~라도'의 의미)	
많은	many, a number of	much
	a lot of, lots of, plenty of	

바로 기본 확인 노트 개념 23–24 p. 111

A

01 helpless		02 colorful	
03 cloudy		04 rainy	
05 eatable		06 homeless	
07 changeable		08 worthless	
09 beautiful		10 hopeful	
11 messy		12 mysterious	

B

01 A few	02 some	03 a few
04 many	05 Lots of	06 a lot of
07 some	08 little	

교과서에서 뽑은 360문장 마스터하기 pp. 112–113

166 We have some interesting books.

167 She is very tired.

168 I heard a funny story.

169 We use a lot of [lots of, plenty of, many] paper cups.

170 Do they have any bananas?

171 It brought a little pain to me.

172 He is alone in the room.

173 The park looked nice and smelled fresh.

174 Today I picked some vegetables.

175 I have two empty cans.

176 They looked like huge green stairs.

177 I know a lot of things about the jobs.

178 There are lots of ostrich farms in Cape Town.

179 We made this stylish bag with my old tent.

180 Eagles are great hunters because of their wonderful eyes.

개념 25 부사의 쓰임과 형태 p. 114

01 fast	02 soon
03 bravely	04 hard
05 pretty	06 Happily
07 well	08 very, beautifully
09 here	10 so
11 talked to him directly	12 snowed too much
13 Unluckily, she lost	14 drove his car slowly
15 is quite simple	16 looked at me hopefully

개념 26 빈도부사 p. 115

01 is never	02 often eat
03 will always	04 usually goes

05 can sometimes
06 usually walks
07 never tells a lie
08 will always get up
09 often goes fishing
10 am usually at home
11 sometimes plays the piano

바로 개념 확인 노트 개념 25 – 26 p. 116

개념 25 부사의 쓰임과 형태

1 동사, 형용사, 다른 부사, 문장 전체 3 -ly

	역할	위치
부사의 쓰임	동사를 꾸밈	주로 동사의 뒤
	형용사를 꾸밈	형용사의 앞
	다른 부사를 꾸밈	다른 부사의 앞
	문장 전체를 꾸밈	문장의 맨 앞

	종류	예
부사의 형태	형용사+-ly	quick – quickly easy – easily possible – possibly
	형용사와 부사의 형태가 같음	late, hard, fast, early 등 cf. lately (요즘), hardly (거의 … 않다), highly (매우) 등은 형용사와 의미가 다름
	기타	always, then, there, soon, here, very, so 등

개념 26 빈도부사

2 일반동사, 조동사

빈도 부사	쓰임	얼마나 자주 일어나는 일인지를 나타냄				
	종류	always	usually	often	sometimes	never
		항상 〉	보통 〉	종종 〉	가끔 〉	전혀 ~않다
	위치	• 일반동사 앞 • be동사 / 조동사 뒤				

바로 기본 확인 노트 개념 25 – 26 p. 117

A
01 silently
02 heavily
03 Sadly
04 easily
05 possible
06 quickly
07 very
08 early
09 quietly
10 Finally

B
01 He will often walk his dog.
02 Alex is always late for class.
03 Dana never watches TV at night.
04 My dog usually eats three times a day.
05 We can never see you again.
06 I sometimes went to the library to read magazines.

교과서에서 뽑은 360문장 마스터하기 pp. 118–119

181 She always eats bread and milk.
182 Unluckily, he lost his bag.

183 I sometimes visit the park for exercise.
184 It will always be full of people.
185 Sam reads the note very slowly.
186 He will get better quickly.
187 Their goals were quite different.
188 He talked to her kindly.
189 I often draw my face.
190 I sit quietly.
191 Her bread is always wonderful.
192 I can see clearly at night.
193 They are always busy on Saturdays.
194 He usually reads books for more ideas.
195 We sometimes go to a mountain or a beach.

REVIEW TEST pp. 120–121

01 ④	02 ②	03 ③, ④	04 ①, ⑤	05 ②
06 ②	07 ⑤	08 ③	09 ②	10 ①
11 ④	12 ⑤	13 ②	14 ⑤	15 ③
16 ①	17 ③	18 ②	19 ③	20 ④

01 형용사 – 부사 관계인 ④를 제외한 나머지는 모두 명사 – 형용사 관계이다.

02 ②는 '배고픔'이라는 뜻의 명사이고, 나머지는 모두 형용사이다.

03 동사 뒤에 와서 주어를 설명하고, 명사 앞에서 명사를 꾸밀 수 있는 것은 형용사이다. 부사인 ③과 ④는 빈칸에 들어갈 수 없다.

04 동사 뒤에 와서 주어를 설명하고, 명사 앞에서 명사를 꾸밀 수 있는 것은 형용사이다. 동사인 ①과 부사인 ⑤는 빈칸에 들어갈 수 없다.

05 ② 이 문장에서 taste는 2형식에 쓰인 감각동사로, 뒤에 형용사인 보어가 와서 주어를 설명한다. 따라서 부사인 badly는 형용사 bad로 고쳐야 한다.

06 lots of는 '많은'이라는 의미로 셀 수 있는 명사와 셀 수 없는 명사를 모두 꾸밀 수 있다. flower는 셀 수 있는 명사이므로, '많은'이라는 뜻의 수량 형용사 중 셀 수 없는 명사를 꾸미는 much를 제외한 many, a lot of, plenty of, a number of를 앞에 쓸 수 있다.

07 ⑤ a little은 셀 수 없는 명사 앞에 써야 하므로, '약간의'라는 의미를 나타내기 위해 animals 앞에는 a few를 써야 한다.

08 (A) 의문문이므로 any가 알맞다. (B) 셀 수 있는 명사 앞이므로 a few가 알맞다. (C) 셀 수 없는 명사 앞이므로 little이 알맞다.

09 ① a few는 셀 수 있는 명사 앞에 쓴다. a few → a little ③ -thing으로 끝나는 대명사는 형용사가 뒤에 온다. sweet anything → anything sweet ④ few는 셀 수 있는 명사 앞에 쓴다. few → little ⑤ many는 셀 수 있는 명사 앞에 쓴다. Many → Much

10 ② a few는 셀 수 있는 명사 앞에 쓴다. a few → a little ③ 긍정문이고 '약간의, 몇몇의'라는 의미를 나타내는 것이 자연스러우므로 any 대

신 some을 쓴다. ④ 부정문이므로 some 대신 any를 쓰는 것이 자연스럽다. ⑤ a little은 셀 수 없는 명사 앞에 쓴다. a little → a few

11 첫 번째 문장의 빈칸에는 동사를 꾸미는 부사가 들어가야 하고, 두 번째 빈칸에는 보어 역할을 하는 형용사가 들어가야 한다. 따라서 부사와 형용사의 형태가 같은 것 중 의미상 자연스러운 것을 고르면 late(늦은, 늦게)가 알맞다.

12 명사 – 형용사 관계인 ⑤를 제외한 나머지는 모두 형용사 – 부사 관계이다.

13 밑줄 친 부분이 형용사로 쓰인 ②를 제외한 나머지는 모두 부사로 쓰였다.

14 too는 '너무'라는 의미의 부사로 형용사나 다른 부사를 꾸밀 수 있다. 따라서 much 앞에 들어가는 것이 알맞다.

15 ③ quite는 부사로 '꽤, 상당히'라는 의미이다. '조용한'이라는 의미의 단어는 형용사 quiet이다.

16 '결코, 절대 ~않다'라는 의미의 빈도부사는 never이다.

17 '종종'이라는 의미의 빈도부사는 often으로, 일반동사 앞 또는 be동사나 조동사의 뒤에 쓴다.

18 ② often은 빈도부사이므로, 일반동사 앞 또는 be동사나 조동사의 뒤에 쓰는 것이 자연스럽다. → Yunho often asks questions.

19 ③ always는 빈도부사로, 일반동사 앞 또는 be동사나 조동사의 뒤에 쓰는 것이 자연스럽다. 이 문장의 do는 일반동사로 쓰였다. → You must always do your best.

20 ④ often은 빈도부사이므로, 일반동사 앞 또는 be동사나 조동사의 뒤에 쓰는 것이 자연스럽다. → She is often late for the club meeting.

Correct or Incorrect?　　　　　　p. 122

1 I　**2** C　**3** I　**4** C　**5** I　**6** C　**7** C　**8** I　**9** C

UNIT 08　의문사

개념 27　who, what, which　　　　　p. 124

01 Who　　**02** What　　**03** Which
04 Who　　**05** What　　**06** Which
07 Who is　　　　**08** Who broke
09 What does　　　**10** What did
11 What kind, does　**12** Which

개념 28　when, where　　　　　p. 125

01 Where　　**02** When　　**03** Where
04 When　　**05** When　　**06** Where
07 Where is　　　**08** Where does
09 Where were　　**10** When did
11 When will　　**12** What time does

바로 개념 확인 노트　개념 27–28　　p. 126

개념 27　who, what, which

1 누구　**2** what　**3** which　**4** 명사

의문사가 있는 의문문의 형태	
be동사가 쓰일 때	의문사+be동사+주어 ~?
일반동사가 쓰일 때	의문사+조동사(do, can, will 등)+주어+동사원형 ~?
의문사가 주어일 때	의문사+동사~?

개념 28　when, where

1 언제　**2** what time　**3** where

(1) Where　(2) When　(3) What　(4) What　(5) Who　(6) Which

바로 기본 확인 노트　개념 27–28　　p. 127

A　**01** What　　**02** When　　**03** What time
　　04 Who　　**05** Which　　**06** What
　　07 What　　**08** Where

B　**01** Who is the woman in this picture
　　02 Who wrote this report
　　03 What kind of books do you like
　　04 Where were you born
　　05 What does your cousin look like
　　06 When do you go to bed

교과서에서 뽑은 *360*문장 마스터하기　　pp. 128–129

196 What is your favorite sport?
197 Who painted it?
198 What are you going to do this weekend?
199 Where do you want to travel?
200 What time should we meet?
201 What [Which] subject do you like?
202 Which [What] class do you want to join?
203 What do you think about the painting?
204 What did you watch yesterday?
205 Who threw this trash on the floor?
206 What does your sister look like?

207 What do you think of my school uniform?

208 What kind of dancing do you like?

209 Which color can't a dog see, red or yellow?

210 When will the meeting begin?

개념 29   why, how   p. 130

01 Why	02 How	03 How
04 Why	05 How	06 Why
07 How do	08 Why were	09 Why did
10 How was	11 How	12 Why don't we

개념 30   How+형용사[부사] ~?   p. 131

01 How tall	02 How long	03 How often
04 How far	05 How much	06 How many
07 How fast	08 How old	09 How long
10 How often	11 How much	12 How many hours

바로 개념 확인 노트   개념 29–30   p. 132

개념 29   why, how

1 왜, because

2 Why don't you, Why don't we

3 how

개념 30   How+형용사 [부사] ~?

2 many, much

how old	나이	얼마나 나이 든
how tall [high]	키, 높이	얼마나 높은
how long	기간, 길이	얼마나 긴
how far	거리, 정도	얼마나 먼
how fast	빠르기	얼마나 빠른
how often	빈도	얼마나 자주
how many	수	얼마나 많은
how much	양, 가격	얼마나 많은, 얼마

(1) Why   (2) How   (3) Why
(4) How many   (5) How much   (6) How long

바로 기본 확인 노트   개념 29–30   p. 133

A
01 How	02 high	03 much
04 many	05 far	06 Why

B
01 How	02 Why	03 How tall
04 How many	05 How much	06 How often

교과서에서 뽑은 360문장 마스터하기   pp. 134–135

211 How do animals see the world?

212 Why do you want to be a doctor?

213 Why don't you buy a cake?

214 How long was the camp?

215 How high is Mt. Halla?

216 How much money did Julie and Mike earn?

217 How far is the park from here?

218 How often do you go to a yoga class?

219 Why do you read e-books?

220 How old is your cousin?

221 How tall is he?

222 How much are the onions [they]?

223 How many people are (there) in your family?

224 How often do you go to your school library?

225 How long do Amazon River Dolphins live?

REVIEW TEST   pp. 136–137

01 ②	02 ①	03 ④	04 ⑤	05 ⑤
06 ①	07 ③	08 ③	09 ⑤	10 ③
11 ⑤	12 ④	13 ②	14 ④	15 ②
16 ⑤	17 ①, ⑤	18 ①	19 ②	20 ③, ④

01 What is the weather like?는 날씨를 묻는 표현이고 What kind of ~?는 '어떤 종류의 ~?'라는 뜻으로 what이 의문 형용사로 쓰인다.

02 역할 모델이 누구인지 답한 것으로 보아 빈칸에는 '누구'라는 의미의 Who를 써야 한다.

03 축구 경기가 지속되는 시간을 답하고 있으므로 빈칸에는 기간을 묻는 How long이 와야 한다.

04 안부를 물을 때 How를 쓴다. 「How+형용사 [부사] ~?」는 '얼마나 ~ 한[~하게] ~?'이라는 의미이다.

05 Why는 이유를 물을 때 쓰는 의문사이다. Why don't you ~?는 '~하는 게 어때?'라는 의미로 제안을 할 때 쓴다.

06 우울해 보이는 이유(Why)를 물은 다음 어떻게(How) 그런 일이 일어났는지 묻는 것이 자연스럽다.

07 Victoria가 있는 곳(Where)을 물은 다음 무엇(What)을 하고 있는지 묻는 것이 자연스럽다.

08 ③은 둘 중 하나를 선택하라는 질문이므로 Which가 와야 한다.

09 ⑤에는 Which가 오고 나머지는 모두 How가 와야 한다.

10 학교를 가는 수단을 물었으므로 '지하철로 간다'라는 답이 적절하다.

11 남성용 옷이 있는 장소를 물었으므로 '4층에 있다'라는 답이 적절하다.

12 What do you do?는 직업을 묻는 말이므로 안부에 대한 답인 ④는 어울리지 않는다.

13 How often은 빈도를 묻는 말이므로 때를 나타내는 ②는 어울리지 않는다.

14 Mike가 어떻게 생겼는지 답하고 있으므로 외모에 대해 묻는 말이 적절하다.

15 How do you like ~?는 '~은 어때 [마음에 드니]?'라는 의미이다.

16 어떤 곳을 가는 데 걸리는 시간을 답하고 있으므로 How long을 이용한 질문이 알맞다. How long does it take to ~?: ~하는 데 시간이 얼마나 걸리니?

17 시각을 물을 때 when 또는 what time을 이용한다.

18 what이 의문 형용사로 쓰이는 경우 what 다음에 명사를 쓴다. What movie are you going to watch?

19 how many는 셀 수 있는 명사와, how much는 셀 수 없는 명사와 함께 쓴다.

20 ① → do ② → does ⑤ → can I

Correct or Incorrect?　　　　　　　　p. 138

1 I　**2** C　**3** C　**4** C　**5** I　**6** I　**7** C　**8** I　**9** C

UNIT 09 문장의 종류

개념 31　명령문 / Let's 청유문　　　p. 140

01 be　　　**02** Be　　　**03** Let's not
04 go　　　**05** Take　　**06** run
07 Hold　　**08** Don't eat　**09** Let's plant
10 Don't give　**11** Keep　**12** let's not go

개념 32　감탄문　　　　　　　p. 141

01 How　　**02** What　　**03** How
04 What　　**05** How　　**06** What
07 What　　**08** What sad　**09** How handsome
10 What big　**11** What an amazing
12 How wise

개념 31　명령문 / Let's 청유문

1 You, be　　**2** 동사원형, Let us, not

명령문	긍정	동사원형 ~.	~해라
	부정	Don't+동사원형 ~.	~하지 마라
Let's 청유문	긍정	Let's+동사원형 ~.	~하자
	부정	Let's not+동사원형 ~.	~하지 말자

개념 32　감탄문

1 느낌표(!)　**2** how, what　**3** 복수, 없는

How 감탄문	How+형용사[부사](+주어+동사)!　강조하는 것	How cold it is! 정말 춥구나! How far he jumps! 그는 정말 멀리 뛰는구나!
What 감탄문	What(+a(n))+형용사+명사(+주어+동사)!　강조하는 것	What a smart girl! 정말 똑똑한 소녀구나!

A　**01** How fast　　　**02** Open the window
　　03 Let's play soccer　**04** the clerk was
　　05 Don't swim　　　**06** How beautiful
　　07 Let's not take 또는 Don't take

B　**01** What a lovely dress this is!
　　02 How heavy the box is!
　　03 What a great speech she gave!
　　04 How brave the firefighters were!
　　05 How fresh the air is!
　　06 What a useful app it is!
　　07 How different we are!

교과서에서 뽑은 *360*문장 마스터하기　　　pp. 144–145

226 Be a smart phone user.

227 What a beautiful day!

228 Don't bend your neck for a long time.

229 Remember the safety rules.

230 Let's go to the ballpark some day.

231 Don't kick the chair in front of you.

232 Believe in your dream.

233 How cute they are!

234 Don't run in the classroom.
　　교실에서 뛰지 마라.

235 Let's take the subway and save time.
　　지하철을 타서 시간을 아끼자.

236 What a strange town this is!

이곳은 정말 이상한 마을이구나!

237 Come and sit down.
와서 앉아라.

238 How wonderful it was!
그것은 정말 대단했어 [멋졌어]!

239 Don't say bad words to your friends.
친구들에게 나쁜 말을 하지 마라.

240 What a great job it is!
그것은 정말 좋은 직업이구나!

개념 33	부가 의문문	p. 146

01 doesn't he   02 can you
03 was it   04 didn't she
05 will you   06 aren't they
07 shall we   08 isn't it
09 won't he   10 will you
11 did you   12 were they

개념 34	부정 의문문	p. 147

01 Isn't   02 Did   03 Can't
04 Weren't   05 Don't   06 Are
07 Doesn't he like, Yes, he does
08 Aren't you tired, No, I'm not
09 Didn't she invite, Yes, she did

바로 개념 확인 노트   개념 33-34   p. 148

개념 33   부가 의문문

1 동사, 주어   3 will you

	앞 문장	부가 의문문
형태	긍정문	부정문
	부정문	긍정문
동사	be동사와 조동사	앞 문장 그대로 씀
	일반동사	주어의 인칭과 수, 시제에 따라 do / does / did를 씀
주어	your sister, 여자 이름 등	she
	your dad, 남자 이름 등	he
	this, that 등	it
	these, those 등	they

개념 34   부정 의문문

1 축약형   2 Yes, No

be동사 부정 의문문	be동사 + not + 주어 ~?
일반동사 부정 의문문	Don't [Doesn't / Didn't] + 주어 + 동사원형 ~?
조동사 부정 의문문	조동사 + not + 주어 + 동사원형 ~?

바로 기본 확인 노트   개념 33-34   p. 149

A   01 can he   02 will you   03 isn't it
04 shall we   05 do you   06 wasn't he
07 won't she   08 don't they   09 is she

B   01 No, I don't   02 doesn't, No, he doesn't
03 Yes, it was   04 is she, No, she isn't
05 No, she didn't   06 aren't you, Yes, I am
07 No, he isn't

교과서에서 뽑은 *360문장* 마스터하기   pp. 150-151

241 It looks delicious, doesn't it?

242 We are so wonderful, aren't we?

243 The story is from Korea, isn't it?

244 Isn't it amazing?

245 You are interested in music, aren't you?

246 Your dog broke the flower pot, didn't it?

247 The children are playing a game, aren't they?

248 Don't they know the importance of the environment?

249 Tomorrow is your birthday, isn't it? / No, it isn't.

250 Isn't this scary? / No, it isn't.

251 You have a problem, don't you? / Yes, I do.

252 He wasn't late for school today, was he? / Yes, he was.

253 He is an excellent musician, isn't he? / Yes, he is.

254 Aren't you forgetting something? / No, I'm not.

255 It is a nice day, isn't it? / Yes, it is.

REVIEW TEST   pp. 152-153

01 ④	**02** ②	**03** ⑤	**04** ④	**05** ⑤
06 ④	**07** ⑤	**08** ②	**09** ⑤	**10** ②
11 ⑤	**12** ③	**13** ③	**14** ①	**15** ③
16 ①, ⑤	**17** Yes, he does.	**18** ②	**19** ③	
20 ③				

01 첫 번째 문장: 긍정 명령문, polite(예의 바른)가 형용사이므로 Be를 쓴다. 두 번째 문장: 부정 명령문, afraid가 형용사이므로 be를 쓴다.

02 문 잠그는 것을 기억하라는 의미의 긍정 명령문은 문 잠그는 것을 잊지 말라는 뜻의 부정 명령문으로 나타낼 수 있다.

03 첫 번째 문장: 빈칸 뒤에 형용사가 있으므로 be동사의 원형인 Be를 쓴다. 두 번째 문장: 꽃을 꺾지 말라는 부정 명령문이다. Don't+동사원형 ~.

04 ④ 부정 명령문은 「Don't+동사원형 ~.」이다. Be not → Don't be

05 명사 voice를 강조하는 What 감탄문으로 바꿔 쓸 수 있다.

06 ④ 형용사를 강조하는 「How+형용사+주어+동사!」 감탄문으로 써야 한다.

07 How 감탄문은 형용사나 부사를 강조한다.

08 ②는 뒤에 it is가 있으므로 soup를 강조하는 What을 쓰고 나머지는 모두 How를 쓴다. soup는 셀 수 없는 명사로 앞에 부정 관사를 쓰지 않는다.

09 ⑤ 감탄의 대상이 명사이므로 What 감탄문이 되어야 한다.

10 jeans는 복수 명사이고, 복수 명사일 때는 부정 관사 a를 쓰지 않는다.

11 명사인 '친구'를 강조하는 「What(+a(n))+형용사+명사(+주어+동사)!」 감탄문으로 나타낸다.

12 ③ 앞 문장이 긍정문이면 부정의 부가 의문문을 쓴다. did you → didn't you

13 앞 문장이 긍정문이므로 부정의 부가 의문문을 쓰고, Liam은 he로 쓴다.

14 첫 번째 문장: 앞 문장이 부정문이고 be동사 현재형을 썼으므로 are they가 알맞다. 두 번째 문장: 앞 문장이 긍정문이고 be동사 과거형을 썼으므로 wasn't she가 알맞다.

15 ① did you → didn't she ② do we → shall we ④ have you → do you ⑤ is he → isn't he

16 부가 의문문에 don't가 있으므로 앞 문장은 일반동사 현재 시제 긍정문이어야 한다.

17 부정 의문문의 응답은 대답의 내용이 긍정이면 Yes, 부정이면 No로 답하는데, 이때 우리말로 Yes는 '아니오'이고 No는 '네'의 의미이다.

18 첫 번째 빈칸에는 긍정 의문문이면 Are, 부정 의문문이면 Aren't를 쓴다. 일반동사가 없으므로 Do나 Don't는 쓸 수 없다. 자매인지 묻는 질문에 사촌이라고 했으므로 두 번째 빈칸에는 「No, I'm not.」을 쓴다.

19 첫 번째 문장: 명사를 강조하는 What 감탄문, 두 번째 문장: Let's 청유문의 부가 의문문은 shall we?, 세 번째 문장: drink가 동사원형이며 맥락상 부정 명령문이 되는 것이 자연스러우므로 Don't를 쓴다.

20 ⓑ cheats → cheat ⓒ can we → shall we ⓔ isn't this → isn't it ⓕ How → What

---

Correct or Incorrect? p. 154

1 C **2** I **3** C **4** I **5** I **6** C **7** C **8** I **9** C

개념 35 1형식과 「There + be동사」 p. 156

01 cried **02** died **03** is
04 went **05** were **06** live
07 slept **08** walked **09** is
10 smiled **11** Is **12** There are

개념 36 2형식 p. 157

01 angry **02** silent **03** tired
04 sweet **05** red **06** bad
07 became **08** He got sick.
09 The dish tastes great. **10** My dream came true.
11 Julie looked sad. **12** My father is a taxi driver.

바로 개념 확인 노트 개념 35–36 p. 158

개념 35 1형식과 「There + be동사」

1 주어, 동사 **2** 주어, 동사 **3** ~이 있다

종류	의미	현재 시제	과거 시제
긍정문	~이 있다	There is + 주어 (단수 명사)	There was + 주어(단수 명사)
		There are + 주어(복수 명사)	There were + 주어(복수 명사)
부정문	~이 없다	There is not + 주어(단수 명사)	There was not + 주어(단수 명사)
		There are not + 주어(복수 명사)	There were not + 주어(복수 명사)
의문문	~이 있는가?	Is there + 주어(단수 명사) ...?	Was there + 주어(단수 명사) ...?
		Are there + 주어(복수 명사) ...?	Were there + 주어(복수 명사) ...?

개념 36 2형식

1 주격 보어 **2** 명사

바로 기본 확인 노트 개념 35–36 p. 159

A **01** 주어: a house, 동사: is
02 주어: You, 동사: are
03 주어: They, 동사: work
04 주어: some books, 동사: are
05 주어: she, 동사: Was
06 주어: The boys, 동사: chatted
07 주어: The tourists, 동사: walked
08 주어: Bill, 동사: sat

09 주어: bears, 동사: Are

10 주어: Rebecca, 동사: slept

B 01 calmly 02 different 03 cold

04 warm 05 rich 06 sick

07 happiness 08 bitter 09 a soccer player

10 old, weak

교과서에서 뽑은 *360*문장 마스터하기 pp. 160–161

256 They all run together.

257 Soon, the army came.

258 There were two baby monkeys.

259 We are very kind.

260 The tree is on the corner of the street.

261 The boy is sleeping in the room.

262 Can I sit next to you?

263 The bread and cheese became soft again.

264 The children waved and smiled at him brightly.

265 He and his family live in Busan.

266 There is a special place for teenagers.

267 It becomes food for many fish there.

268 Your cupcake looks great. It smells and tastes great, too.

269 He works as a doctor for a baseball team.

270 There were many rice fields by the sea.

| 개념 37 | 3형식과 4형식 | p. 162 |

01 for 02 to 03 for

04 to 05 for 06 of

07 I cut the paper. 08 made this hat for him

09 Janice wrote the letter. 10 told me a story

11 showed photos to us 12 Meg wanted to drink water.

| 개념 38 | 5형식 | p. 163 |

01 a guide 02 healthy

03 interesting 04 crazy

05 her baby John 06 their grandfather Papa

07 made us calm 08 keep you safe

09 named their son Ian 10 made me sad

11 found the problem very easy

12 painted the roof red

바로 개념 확인 노트 개념 37–38 p. 164

개념 37 3형식과 4형식

1 한, 두

	문장의 구조		
3형식	주어 + 동사 + 목적어		
4형식	주어 + 동사 + 간접목적어 + 직접목적어		
4형식 ↓ 3형식	주어 + 동사 + 간접목적어 + 직접목적어 → 주어 + 동사 + 직접목적어 + 전치사 + 간접목적어		
	전치사 to를 쓰는 동사	give, send, sell, tell, show, bring, teach, write, pass, lend 등	
	전치사 for를 쓰는 동사	buy, make, cook, get, find, build 등	
	전치사 of를 쓰는 동사	ask 등	

개념 38 5형식

5형식 문장의 형태

| 주어 | + | 동사 | + | 목적어 | + | 목적격 보어: 목적어를 보충하거나 설명하는 말 |

call, name, make, find, keep, choose, paint 등

형용사 또는 명사

바로 기본 확인 노트 개념 37–38 p. 165

A 01 me 02 to 03 for

04 to 05 beautiful 06 of

07 my sister 08 to 09 Rider

10 for

B 01 called the cave "the door to Heaven"

02 kept its babies warm

03 made the cat a new toy

04 chose Ms. Brighton our new leader

05 made his parents mad

06 sent lots of letters to his brother

07 made the girl a famous singer

교과서에서 뽑은 *360*문장 마스터하기 pp. 166–167

271 I will visit my uncle tomorrow.

272 He gave some water to me.

273 You must keep your room tidy.

274 He tells us an interesting story.

275 Bring him some chairs for the party.

276 I bought an umbrella with the money.

277 Their smiles made her surprised.

278 I bake cakes in the kitchen from 5 a.m.

279 My dad gave this album to me on my 13th birthday.

280 New York will show the real city life to you.

281 My mom always makes me lunch.

282 Let's give some gifts to them.

283 We brought them a lot of food.

284 I will cook him a nice meal tomorrow.

285 I'm going to tell an important fact to you.

REVIEW TEST

pp. 168–169

01 ⑤	**02** ①	**03** ④	**04** ③	**05** ④
06 ②	**07** ⑤	**08** ②	**09** ②	**10** ④
11 ④	**12** ①	**13** ②	**14** ⑤	**15** ⑤
16 ③	**17** ③	**18** ③	**19** ②	**20** ③

01 ①, ②, ③, ④는 1형식 문장이고, ⑤는 2형식 문장이다.

02 ①은 2형식 문장으로 밑줄 친 good이 주격 보어로 쓰였다. ②, ③, ④, ⑤는 3형식 문장으로 밑줄 친 부분이 모두 목적어로 쓰였다.

03 ①, ②, ③, ⑤는 2형식 문장으로 밑줄 친 부분이 주격 보어로 쓰였다. ④는 1형식 문장으로 밑줄 친 부분은 문장의 형식에 포함되지 않는 부사구이다.

04 ⓐ, ⓑ, ⓓ: 5형식 ⓒ, ⓔ: 3형식

05 ①, ②, ③, ⑤는 모두 4형식 문장으로 동사에 두 개의 목적어가 올 수 있다. ④는 5형식 문장으로 목적어(the wall)와 목적격 보어(white)가 오는 동사가 쓰였다.

06 ② 3형식 문장으로 쓰려면 me 앞에 전치사 to를 써야 하고, 4형식 문장으로 쓰려면 the book과 me의 순서를 바꿔야 한다.

07 「There + be동사」 구문의 주어는 be동사 뒤에 나오는 명사이며, 주어의 수와 인칭에 따라 be동사를 다르게 쓴다. 따라서 is 뒤의 빈칸에는 단수 명사가 와야 한다.

08 동사 make는 목적어와 목적격 보어가 뒤에 오면 '~을 …하게 만들다'라는 의미를 나타낸다. 목적어 me와 목적격 보어 sad를 동사 made 뒤에 순서대로 쓴 문장을 찾는다.

09 동사 name은 목적어와 목적격 보어가 뒤에 오면 '~을 …라고 이름 짓다'라는 의미를 나타낸다. 목적어 the cat과 목적격 보어 Max를 동사 named 뒤에 순서대로 쓴 문장을 찾는다.

10 • There was some mice in the hole. → There were some mice in the hole.

• The bread got dry and hardly. → The bread got dry and hard.

• Jane brought us to some fruit. → Jane brought some fruit to us [us some fruit].

• Chris asked a question to the teacher. → Chris asked a question of the teacher [the teacher a question].

11 빈칸이 있는 문장은 2형식 문장으로 감각동사 feel 뒤에 주격 보어 역할을 하는 형용사가 쓰여야 한다. 부사 happily는 빈칸에 들어갈 수 없다.

12 ①의 taste는 뒤에 목적어인 명사가 와서 '~을 맛보다'라는 의미로 쓰였다. 따라서 이 문장은 3형식이다. 나머지는 모두 2형식 문장이다.

13 ② look은 감각을 나타내는 동사로 뒤에 주격 보어를 쓸 때에는 형용사가 와야 한다. a little sadly → a little sad

14 ⑤ feel은 감각을 나타내는 동사로 뒤에 주격 보어를 쓸 때에는 형용사가 와야 한다. coldly → cold

15 became 뒤의 빈칸에는 주격 보어 역할을 하는 형용사나 명사가 와야 하므로 부사 carefully는 들어갈 수 없다.

16 주어진 문장은 4형식이므로, 3형식으로 바꾸려면 간접목적어와 직접목적어의 위치를 바꾸고 전치사를 사용해야 한다. 동사가 ask일 때는 of를 쓴다.

17 ③ some postcards me → some postcards to me 또는 me some postcards

18 ③ 동사 find는 3형식 문장으로 쓸 때 전치사 for를 필요로 한다.

19 3형식 문장을 4형식 문장으로 바꾼다면 전치사를 생략하고 동사의 목적어와 전치사의 목적어 위치를 바꿔 간접목적어와 직접목적어 역할을 하도록 한다.

20 우리말에 맞게 배열하면 The clerk found pink sneakers for me.라는 문장이 된다. 네 번째로 오는 것은 전치사 for이다.

Correct or Incorrect?

p. 170

1 C **2** I **3** I **4** I **5** C **6** I **7** I **8** C **9** C

UNIT 11 비교 구문

개념 39 | 비교급과 최상급 만드는 법

p. 172

01 younger	**02** most difficult	**03** faster
04 best	**05** hotter	**06** brighter
07 easier	**08** heavier	**09** wisest
10 most colorful	**11** nicest	**12** harder
13 more beautiful	**14** cozier, coziest	**15** thinner, thinnest
16 more important, most important		

개념 40 | 원급 비교

p. 173

01 tall	**02** as
03 tall	**04** not so
05 as expensive as	**06** as fast as
07 as [so] delicious as	**08** as slowly as
09 as soft as	**10** not as [so] crowded as

개념 39 비교급과 최상급 만드는 법

2 -(e)r   **3** -(e)st

	원급	비교급	최상급
대부분의 형용사/부사	–	+ -(e)r	+ -(e)st
	kind	kinder	kindest
	nice	nicer	nicest
「단모음+단자음」으로 끝날 때	–	+ 마지막 자음 + -er	+ 마지막 자음 + -est
	thin	thinner	thinnest
「자음 + -y」로 끝날 때	–	-y → -ier	-y → -iest
	easy	easier	easiest
3음절 이상 / -ful, -ous, -able, -less, -ing 등으로 끝날 때	–	more + 원급	most + 원급
	dangerous	more dangerous	most dangerous
불규칙 변화	good/well	better	best
	bad/ill	worse	worst
	little	less	least
	many/much	more	most

개념 40 원급 비교

1 원급   **2** as, as   **3** as [so], as

원급 비교 긍정	A ~ as + 원급 + as + B	A가 B만큼 ~하다
	This dog is as fast as my rabbit.	이 개는 나의 토끼만큼 빠르다.
원급 비교 부정	A ~ not ... as [so] + 원급 + as + B	A는 B만큼 ~하지 않다
	This dog is not as [so] fast as a cheetah.	이 개는 치타만큼 빠르지 않다.

A
01 wiser
02 dirtiest
03 fatter
04 slowest
05 finer
06 heavier
07 most comfortable
08 more
09 bravest
10 more exciting, most exciting

B
01 prettier
02 sweeter
03 fast
04 expensive as
05 not as [so] useful
06 as light as
07 more popular

교과서에서 뽑은 360문장 마스터하기   pp. 176–177

286 I am younger than Dohun.
287 Ted is nicer than Matt.
288 We move to a colder country.
289 It's more delicious than pizza.
290 Jack won the smallest ruby.
291 Nicole smiled the most beautiful smile.
292 The map is not as [so] large as the door.
293 It is as slow as a turtle.
294 Seoul is the largest city in Korea.
295 We fly as high as the clouds.
296 The view was fantastic, so I felt better.
297 It can run as fast as the wind.
298 I will talk less and listen more.
299 John is the tallest boy in his class.
300 The pencil case is not as big as the basket.

개념 41 비교급 비교   p. 178

01 than
02 than
03 brighter
04 more interesting
05 much
06 mine
07 more diligent than
08 newer than
09 more important than
10 funnier than
11 later than
12 warmer than

개념 42 최상급 비교   p. 179

01 youngest
02 most useful
03 the highest
04 better
05 people
06 in
07 the shortest
08 the biggest
09 the best
10 the most friendly
11 faster
12 the cheapest

개념 41 비교급 비교

1 비교급   **2** than

비교급을 강조하는 말

개념 42 최상급 비교

2 the

최상급의 쓰임	의미
the + 최상급 + of + 복수 명사	~ 중에 가장 …한
the + 최상급 + in + 장소/집단	~에서 가장 …한
one + of + the + 최상급 + 복수 명사	가장 ~한 … 중 하나

A 01 cleverer [more clever]   02 more useful
    03 the most expensive   04 easier
    05 the best   06 the highest
    07 worse   08 bigger
    09 the most popular   10 more kindly

B 01 The Nile is the longest river in the world.
    02 Russia is the largest country in the world.
    03 Bill eats more junk food (than John).
    04 The blue whale is the heaviest animal on Earth.
    05 Vatican City is the smallest country in the world.
    06 Julia likes pizza more (than pasta).

교과서에서 뽑은 *360*문장 마스터하기   pp. 182-183

301 She is the tallest girl.
302 Health is the most important thing.
303 Watermelons are the biggest fruit.
304 This book is the most popular among teens.
305 The stone is the heaviest in this garden.
306 Today is the coldest day of the year.
307 Robert is the most famous actor of them.
308 You are the strongest in our school.
309 Math is more difficult than science for me.
310 It is much more colorful than a rainbow.
311 You are the kindest student in our class.
312 The second number is bigger than the first.
313 This math problem is the easiest one in this book.
314 Sally swam faster than her friends.
315 The pink bag is the most expensive bag in this shop.

REVIEW TEST   pp. 184-185

01 ④	02 ②	03 ③	04 ③	05 ①
06 ③	07 ④	08 ④	09 ③	10 ②
11 ②	12 ①,④	13 ③,⑤	14 ④	15 ④
16 ④	17 ③	18 ③	19 ①,②,⑤	20 ⑤

01 ④ exciting의 비교급은 more exciting이다.
02 ② noisy – noisier – noisiest, 「자음 + -y」로 끝나는 형용사이므로 y를 i로 바꾼 뒤, -er이나 -est를 붙인다.

03 밑줄 친 good 뒤에 than이 있는 것으로 보아 good의 비교급 better를 써야 한다.
04 ③을 제외한 나머지는 모두 형용사의 비교급과 최상급이 짝지어져 있다. ③의 worst는 bad/ill의 최상급이다.
05 원급 비교 표현이므로 as와 as 사이에는 원급 light가 들어가야 한다.
06 ③ 원급 비교의 부정 표현은 「not as [so] + 원급 + as」로 써야 한다. not as lazy so → not as [so] lazy as
07 원급 비교 표현이므로 as와 as 사이에는 형용사나 부사의 원급이 들어가야 하며, 이 문장의 빈칸에는 주격 보어 역할을 하는 형용사가 알맞다. ④ sport는 명사이므로 어울리지 않는다.
08 'Bill은 Tom만큼 재미있지 않다'라는 뜻이므로, 'Tom이 Bill보다 더 재미있다'로 바꿔 쓸 수 있다.
09 '~만큼 …하다'라는 의미의 원급 비교 표현 「as + 원급 + as」를 쓰는 것이 적절하다.
10 '~만큼 …하지 않다'라는 의미의 원급 비교 부정 표현 「not as [so] + 원급 + as」를 쓰는 것이 적절하다.
11 빈칸 앞에 비교급이 있으므로 than이 들어가는 것이 알맞다.
12 ① I do → mine ④ most cheerful → more cheerful
13 ③ more hotter → hotter ⑤ to → than
14 famous의 비교급은 more famous이며, 비교 대상인 his father 앞에 than이 오는 것이 알맞다.
15 ④를 제외한 나머지는 모두 비교급을 강조하는 부사로 more difficult 앞에 올 수 있다.
16 주어진 말을 배열하면 'Jamie speaks Korean even better than I do.'이므로, 다섯 번째로 오는 말은 better이다.
17 뒤에 비교 범위를 나타내는 전치사구가 있는 것으로 보아 최상급이 들어가는 것이 자연스럽다. 최상급 앞에는 대개 the를 쓴다.
18 뒤에 비교 범위를 나타내는 전치사구가 있는 것으로 보아 최상급이 들어가는 것이 자연스러우며 비교급 표현인 ③은 어색하다.
19 ③ → Kevin is heavier than Sam. ④ → David is the heaviest of the three.
20 ⑤ person → people, 「one of the + 최상급 + 복수 명사」 표현이므로, 복수 명사인 people이 오는 것이 적절하다.

Correct or Incorrect?   p. 186

1 C   2 C   3 I   4 I   5 C   6 I   7 C   8 C   9 I

UNIT 12 접속사와 전치사

개념 43 | 등위접속사 and, but, or | p. 188

01 and	02 and	03 but
04 or	05 or	06 but
07 and	08 and	09 but
10 or	11 or	12 but

개념 44 | 종속접속사 that | p. 189

01 주어	02 목적어	03 목적어
04 보어	05 주어	

06 I'm sorry (that)
07 They think (that)
08 The fact is that
09 She said (that)
10 is true that
11 I'm glad (that)
12 is possible that

바로 개념 확인 노트 | 개념 43~44 | p. 190

개념 43 | 등위접속사 and, but, or

2 그리고 3 그러나 4 또는

and	*A* and *B* / *A*, *B*, ..., and *C* A와 B / A, B, ..., 그리고 C
but	*A* but *B* A 그러나 B
or	*A* or *B* A 또는 B

개념 44 | 종속접속사 that

2 보어, 목적어 3 it 4 생략

that +주어 +동사~	주어	~하는 것은	It is surprising that Mason didn't hear the news.
	보어	~하는 것(이다)	The truth is that the man stole my wallet.
	목적어	~하는 것을 (that 생략 가능)	He thought that Ella had to be kind to them.
감정의 형용사+ that+주어+동사~		~해서 …한 (that 생략 가능)	I'm sorry that I can't help you.

바로 기본 확인 노트 | 개념 43~44 | p. 191

A
01 and	02 that	03 or
04 and	05 and	06 that
07 that	08 but	09 but
10 or		

B
01 or	02 and	03 that
04 but	05 that	06 that
07 but		

교과서에서 뽑은 *360*문장 마스터하기 | pp. 192~193

316 Tom cried and shouted.

317 My friends and I are in Seoul.

318 I don't know him, but I know you.

319 Listen carefully and answer the question.

320 He thinks that he can change everything.

321 She said that it was an interesting idea.

322 I think that my dog protects our house.

323 I exercise or listen to music at the park.

324 Many people visit here and enjoy the beauty of this garden.

325 I have a big family, but my house is so small.

326 I went to the east and found more fish.

327 I think that I left my book in the library.

328 Whales look and swim like fish, but they aren't fish at all.

329 Many people said that we couldn't do it.

330 Do you experience different cultures in your home, school, or community?

개념 45 | 종속접속사 when, before, after | p. 194

01 when	02 when	03 After
04 When	05 before	06 After
07 when	08 before	09 after
10 When	11 before	12 When

개념 46 | 종속접속사 because, if | p. 195

01 날씨가 화창하다면

02 나는 공부를 열심히 하지 않았기 때문에

03 나는 매우 피곤했기 때문에

04 내가 전화를 받지 않는다면

05 그녀가 그를 초대하지 않았기 때문에

06 네가 우산을 가져가지 않는다면

07 If	08 because	09 because
10 if	11 because	12 If

바로 개념 확인 노트 | 개념 45~46 | p. 196

개념 45 | 종속접속사 when, before, after

2 현재

접속사	의미	예문
when	~할 때	I will plant some trees in the garden when spring comes. = When spring comes, I will plant some trees in the garden.
before	~ 전에	Andy made sandwiches before he cleaned the kitchen. = Before he cleaned the kitchen, Andy made sandwiches.
after	~ 후에	Ella checked Benny's email after she came back home. = After she came back home, Ella checked Benny's email.

개념 46 종속접속사 because, if

1 이유 **2** 조건 **3** 현재

접속사	의미	예문
because	~ 때문에	The horses headed for the river because they were thirsty. = Because they were thirsty, the horses headed for the river.
if	만약 ~라면	I will dance on the street if I win the contest. = If I win the contest, I will dance on the street.

바로 기본 확인 노트   개념 45–46   p. 197

A 01 because   02 if   03 before
04 because   05 before   06 After
07 If

B 01 Because she liked horror stories, she bought the book.
02 We will go to the park if it is sunny this afternoon.
03 Jason mopped the floor after he watered the plants.
04 You will know a lot about penguins if you watch this documentary.

교과서에서 뽑은 *360*문장 마스터하기   pp. 198–199

331 After our first game ended, we were happy.

332 You can lift it because it is very light.

333 When you are sick, you should take some medicine.

334 Before I finished my homework, I watched TV.

335 I am happy when you like my stories.

336 I will stay at home all day if it rains.

337 When I was 12, I moved to Busan.

338 I like him because he is honest and kind.

339 After we worked hard, we had our soccer field.

340 Please call me when you arrive at the airport. /
When you arrive at the airport, please call me.

341 My dad cooks dinner when he comes home early. /
When my dad comes home early, he cooks dinner.

342 I could easily hunt them because they didn't swim around. /
Because they didn't swim around, I could easily hunt them.

343 When you win this race, you can start a new life. /
You can start a new life when you win this race.

344 I read a book before I go to bed. /
Before I go to bed, I read a book.

345 I couldn't use the tent because it had a big hole in it. /
Because the tent had a big hole in it, I couldn't use it.

개념 47   시간을 나타내는 전치사   p. 200

01 on   02 in   03 for
04 on   05 during   06 in
07 at   08 on   09 after
10 during   11 for   12 before

개념 48   위치를 나타내는 전치사   p. 201

01 in front of   02 behind   03 over
04 next to   05 by   06 between
07 on   08 along   09 around
10 under   11 through   12 out of

바로 개념 확인 노트   개념 47–48   p. 202

개념 47 시간을 나타내는 전치사

at	~에 (정확한 시각)	at 5	for	~ 동안 (구체적인 시간)	for two hours
	~에 (특정한 때)	at night	during	~ 동안 (특정 기간)	during the class
on	~에 (날짜, 요일)	on Monday	before	~ 전에	before dinner
in	~에 (월, 연도, 계절, 시간 등)	in 2019	after	~ 후에	after dinner

개념 48 위치를 나타내는 전치사

at	하나의 지점	at the store	in	넓은 장소	in Japan	on	표면	on the door
	행사	at the meeting		내부	in the library		교통	on the bus
	상태	at work					방향	on your right

in front of	~ 앞에	in front of the school	next to, beside, by	~ 옆에	beside me	among	~ 사이에	among the cars
			near	~ 근처에	near the building	over	~ 위에	over the river
behind	~ 뒤에	behind the hospital	between	~ 사이에	between the bank and the bakery	under	~ 아래에	under the table

into, out of	~안으로/밖으로	out of the room	across	~을 가로질러	across the hall	from	~으로부터, ~에서	from my house
up, down	~ 위로 / 아래로	up the stairs	through	~을 통과하여	through the door	to	~으로	to the station
along	~을 따라서	along the road	around	~ 주위에	around the pond	for	~을 향하여	for Africa

바로 기본 확인 노트 개념 47–48 p. 203

A

01 in 02 at 03 at
04 during 05 after 06 for
07 in 08 during

B

01 behind this house 02 on the train
03 on the door 04 along the road
05 between the closet and the bed
06 through the window
07 in front of the library
08 up the ladder

교과서에서 뽑은 *360*문장 마스터하기 pp. 204–205

346 Baseball is very popular in the U.S.
347 Before breakfast, he takes a shower.
348 On Christmas, I send cards to my friends.
349 They eat lunch at home at noon.
350 He learned English for many years.
351 There is a tree in front of the building.
352 I put the bottle in the bag.
353 The bakery is near the middle school.
354 Behind the door, the greatest treasure waits for them.
355 The turtle got into the water and swam across the river.
356 You have lots of time before the game.
357 He put candies in the basket and placed it under the tree.
358 See the world through the eyes of animals.
359 When I walk around the corner, a sweet smell comes from the bakery.
360 Everyone around the world wears a baseball cap in everyday life.

REVIEW TEST pp. 206–207

01 ④	02 ②	03 ④	04 ③	05 ④
06 ④	07 ②	08 ②	09 ③	10 ⑤
11 ③	12 ③	13 ①	14 ④	15 ④
16 ⑤	17 ④	18 ⑤	19 ③	20 ③

01 '그러나'라는 의미의 접속사 but이 어울리는 ④를 제외한 나머지 빈칸에는 비슷한 것을 나열할 때 사용하는 and가 들어간다.

02 ② 빈칸을 사이에 두고 앞뒤 문장이 서로 상반되는 내용이므로 but이 어울린다.

03 ④ sick(아픈)과 cheerful(활기찬)은 서로 상반되는 형용사이므로 but이 어울린다.

04 ③을 제외한 나머지는 모두 종속절을 이끄는 접속사 that이다. ③의 that은 지시형용사로 쓰였다.

05 감정을 나타내는 형용사 다음에 그 원인이 되는 내용의 절이 올 때에는 종속접속사 that이 들어가는 것이 알맞다.

06 목적어로 쓰인 명사절을 이끄는 that과 감정을 나타내는 형용사 다음에 오는 절의 that은 생략할 수 있다. ④의 that은 주어로 쓰인 명사절을 이끌고 있으므로 생략하지 않는다.

07 주어진 문장의 that은 명사 역할을 하는 종속접속사이다. ① 접속사 that이 생략된 명사절 안에서 주어 역할을 하는 지시대명사 ② 종속절을 주절에 이어주는 역할을 하는 종속접속사 ③, ④, ⑤ 지시형용사

08 빈칸 뒤의 절이 앞 절의 이유를 나타내므로 because가 어울린다.

09 주어진 문장은 Ann이 운동 후에 저녁 식사를 한다는 의미이므로, Ann이 저녁 식사 전에 운동을 한다는 의미의 ③과 의미가 통한다.

10 when이 '언제'라는 의미의 의문사로 쓰인 ⑤를 제외한 나머지는 시간을 나타내는 접속사로 쓰였다.

11 첫 번째 빈칸에는 '만약 ~라면'이라는 의미로 조건을 나타내는 접속사 if가 어울리고, 두 번째 빈칸에는 주어 역할을 하는 명사절을 이끄는 접속사 that이 알맞다. 세 번째 빈칸에는 때를 나타내는 접속사 when이 알맞다.

12 우리말로 보아 '만약 ~라면'이라는 의미로 조건을 나타내는 접속사 if가 알맞다.

13 ① 조건을 나타내는 부사절에서는 미래를 나타낼 때 현재 시제를 사용한다. will go → go

14 ④ during 뒤에는 특정 기간을 나타내는 명사구가 온다. ① on 3:00 → at 3:00 ② in New Year's Day → on New Year's Day ③ in the weekend → on the weekend ⑤ On summer → In summer

15 '~ 동안'이라는 의미로 구체적인 시간을 나타낼 때 for를 쓰는 것이 알맞다.

16 ⑤ 구체적인 날짜를 나타내는 Thanksgiving Day 앞에는 on을 써야 한다.

17 ④ 배낭은 의자 옆에 있으므로 behind를 next to로 고치는 것이 알

맞다.

18 첫 번째 문장에서는 아이들이 나무를 '오르는' 것이므로 up이 알맞고, 두 번째 문장에서는 유리를 '통해' 사자를 보는 것이므로 through가 알맞다.

19 우체국이 빵집 앞에 있으므로 빵집은 우체국 '뒤에' 있다. 따라서 behind가 알맞다.

20 ③ the party 앞에는 '행사' 앞에 쓰여 '~에'라는 의미를 나타내는 at 을 쓰는 것이 알맞다.

Correct or Incorrect?   p. 208

1 C   2 C   3 C   4 I   5 C   6 C   7 C   8 I   9 C

기본탄탄 나의 첫 중학 내신서 **체크체크 전과목 시리즈**

국어	베이직수학	베이직N제	체크수학	유형체크N제	기출심화N제	사회·역사	과학	영어
공통·저자별/학기서			학기서			학기서/연간서	학기서/연간서	학기서/연간서

정답은
이안에
있어!

전과목 내신 기출문제집

중등 베스트셀러

내신 성적 확실히 올려주는 베스트셀러

올백
기출문제집

최고의 적중률

학교별로 맞춤 제공되는
시험 기출 문제 유형 수록으로
최고의 적중률 보장!

내신 성적 향상

학교 시험 대비에 꼭 필요한
강의 요약정리, 학교 시험 기출 문제와
예상 문제 수록으로 내신 성적 Up Up!

빈틈없는 학습자료

유형별 보충 문제,
서술형·논술형 문제,
Final Test로 시험 직전 마무리!

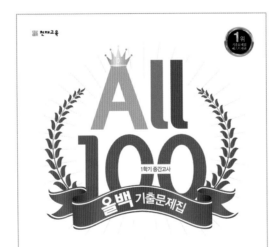

올백 홈페이지

특이진도 파일 제공
all100.chunjae.co.kr

올백 기출문제집과 함께
내신 All 100을 향해!
국어, 영어, 사회, 과학
(중1: 1학기 중간, 기말 / 중2~3: 학기별 중간, 기말)
수학 (중1~3: 학기별 중간, 기말)